Encyclopédie officielle des calembours

Collection « Humour quand tu nous tiens »

Le bazar de l'amour, par Alain Carayac.
H comme humour, par Jean-Paul Lacroix.
S comme sottise, par Jean-Paul Lacroix.
L'humour loufoque, par Jean-Paul Lacroix.
L'argot tel qu'on le parle, par Robert Giraud.
Tout l'esprit de Jules Renard, par Jean Delacour.
Louis de Funès, par Brigitte Kernel.
Discrétion garantie, par Valérie Dax.

Dessins (couverture et intérieur) : Ferdinand Guiraud.

Jean BONDIORK

Encyclopédie officielle des calembours

Jacques Grancher, Editeur
98, rue de Vaugirard - Paris

Remerciements

Basile de Coq, Edouard Bracame, Remi Fasol, Raymond Tikul, Prisca Catoès, Paule de Mouton, Bernard Cotique, Marcelle Cérébos, Ella Foutulkan, Gaston Haluile, Eugénie Sans Bouïr, Arnaud Tilus, Valentin Turdiod, Gabin Bouyonan, Lazare Décoratif, Isabelle de Cadix, Aimée Voubrams, Honorine Causa, Olive Noire, Gwladys Joncteur, Benjamin Salor, Isidore Debout, Irène Dunjour, Valérie Pilaf, Marc Hassin, Julie Emporte-Feuille, Emma Toupri, Prudence de Saint-Gui, Rolande Rover, Denise Citededoge, Bernardin Donot, Pascal Sonlon, Norbert Muda, Gilbert Gamotte, Guy Gnole, Paul Hisson, Alban Public, Thomas de Misaine, Florent Tamplan, Benoît de Cajou, Henri

Golan, Joel Cordobes, Donald Hémiquet, Marina Dansonju, Victor Ticoli, Jacques Use, Marthe Ingale, Brigitte Helcouvert, Claire de Notaire, Natacha de Gouttière, Gaétan Kilyora-Désomme, Hélène Wollmark, Sabine de Cheval, Appolinaire de Beu, Gilles Edpau, Renaud Turbo, Constant Tinople, Jérôme Oucartage, Bruno Dajin, Denis Cotine, Firmin de Masseur, Géraud Boam, Baudouin de Noël, Charles Attan, Aude Wessel, Sylvie Ilne-Pamor, Geoffroy de Canar, Elisabeth Comunois, André de Servisse, Brice Tol, Théodore Hifor, Flora Daigou, Hubert Lingo, Edmond Kucé-Dupoulai, Clément Digo, Lucie Circulère, Urbain de Minuit, Théophile Defferre, David Ordure.

Introduction

Par Pâ-Yasson Grand Maître oriental

Le vénéré Littré nous dit que le calembour est « un jeu de mots fondé sur des mots se ressemblant par le son, différant par le sens ».

Les origines de cette science qu'est le calembour sont récentes : selon Chasles *(Etude sur l'Allemagne,* 1854), l'abbé de Calemberg – un personnage de contes germaniques – lui a donné son nom ; on notera toutefois qu'au XVIe siècle, on trouve trace de ce qui est nommé « équivoques » – dont la nature se rapproche du calembour et de la contrepèterie. Au

XVIIIe siècle, le marquis de Bièvre dispense nombre de jeux de mots qui peu à peu deviennent à la mode (« le temps est à mettre en cage, c'est-à-dire serein [serin] »). L'institution vénérable qu'est l'almanach Vermot perpétuera dès le XIXe siècle, et depuis lors, l'art de l'à-peu-près.

Le calembour résout toutes les énigmes historiques, sociologiques, géographiques, financières — la démonstration suit dans les pages à venir. Grâce à cette gymnastique mentale, toutes les interrogations, des plus futiles aux plus graves, sont circonscrites. Curieusement il n'existait jusqu'à présent aucun ouvrage traitant en globalité du calembour, sous tous ses aspects médico-techniques.

On comprendra, dans ces conditions, que nous tenons entre nos mains, non un livre humoristique, mais un véritable guide de vie, comparable en densité et en intérêt à la BIBLE, ou au CAPITAL.

Economie

De nos jours, les données économiques régentent notre vie quotidienne au point qu'en ignorer beaucoup, c'est se trouver en porte à faux avec son entourage (de dents). Ce chapitre circonstancié vous apportera sans doute nombre d'éclaircissements sur les mécanismes qui tirent les ficelles de notre monde moderne.

Fiscalité

La déclaration d'impôt est un parcours obligé du contribuable.

Mais comment s'y reconnaître au milieu de la jungle des lois et des décrets ? Quelle attitude adopter avec son inspecteur ? Que déclarer (au beurre noir) ?

Autant de questions qui vont être résolues ici (égoïnes).

– Pourquoi les contrôleurs fiscaux sont-ils, pour la plupart, courageux ?

Parce que ce sont les conquérants de l'impôt-cible.

– Lorsqu'on établit sa déclaration annuelle de revenus, pour quelles raisons convient-il d'arrondir les sommes au chiffre pair supérieur ?

Au nom du pair, du fisc et du synthèse-prix.

– Et dans cette circonstance, doit-on être résolu ?

Oui, il ne faut pas avoir peur de son nombre.

– Est-il exact que les inspecteurs des impôts connaissent souvent des troubles auditifs ?

En effet ; il sont un peu durs de la feuille.

– Et que disent-ils lorsqu'ils se mettent au travail ?

A moi, comptes, deux maux !

– Sont-ils rigoureux au centime près ?

Absolument, car tel pèze, tel fisc.

– Après un examen fiscal qui a échoué, les inspecteurs doivent-ils subir un check-up ?

Non, car ils viennent de faire un contrôle sans gain.

– Ces fonctionnaires sont-ils sensibles aux avances amicales des voyants et autres médiums ?

Non, ils sont imperméables au potes devins.

– Et si ces avances deviennent sexuelles ?

Cela ne marchera pas plus, car gare aux chauds mages.

– Pour terminer, la fonction de contrôleur fiscal – qui cherche à acculer le contribuable aux seules fins de « gonfler » l'imposition – peut-elle être résumée en une formule choc ?

Oui, le serre-gens-majore.

Monnaie

La balance des paiements, les fluctuations des matières premières et de la bourse, le contrôle des changes (pampers), tout ou partie de la stratégie mondiale est fondé sur la puissance ou la faiblesse des monnaies (en trompette).

C'est un domaine très technique et fort embrouillé, dont peu connaissent les arcanes (à pêche). Un tableau assez exhaustif de la situation, voilà ce que nous proposons.

– *Quelle est la monnaie préférée des écrivains ?*

La livre.

– *Que dire de la monnaie argentine ?*

Elle pèse haut.

– *Feriez-vous confiance à la monnaie polonaise ?*

Non, car avec elle, on est mal zloti.

– La monnaie vietnamienne vous paraît-elle stable ?

Non, elle est dingue, döng.

– Dans ces conditions, peut-on acquérir des « francs » thaïlandais ?

Oui, c'est vachement bath !

– Savez-vous que la monnaie roumaine n'a pas varié de cours en dix ans ?

Mais oui, je Leu sais.

– En tout cas, acheter de la monnaie israélienne, c'est passer du bon temps !

Absolument, c'est comme des vacances aux Shekels.

– L'unité monétaire du Laos vous paraît-elle propre ?

Oui, ce Kip lave plus blanc.

– Et la monnaie du Guatemala ? peut-on lui accorder une crédibilité internationale ?

Non, elle vaut strictement quetzal.

– Si l'on vous suit bien, il n'y a plus qu'à se rabattre sur la monnaie japonaise.

En aucun cas : où il y a du yen, y'a pas de plaisir.

– Mais alors, la plupart des gouvernements fixent une rémunération exagérée de l'épargne ?

Exact : les faux taux gras fient.

– Avec un tel contexte, on se doute que le Marché commun n'accueille pas d'un très bon œil l'entrée de la Grèce ?

Evidemment : le Marché commun devra absorber ce que la Grèce doit.

– Il est donc vain d'écouter les prédictions des cambistes de la bourse de Rotterdam ?

Bien entendu : ce sont les faux mages de Hollande.

– Il faut craindre alors que la multiplication des chômeurs entraîne une baisse de la consommation.

Hélas oui, car ventre affamé n'a pas d'oseille.

Finances et investissements

Dans le contexte délicat décrit plus haut, les comportements des investisseurs, institutionnels ou privés, tendent vers la prudence (de Saint-Gui). Un bref rappel de quelques notions de base ne peut cependant nuire.

– La pisciculture attire-t-elle les capitaux ?

Oui, car le thon, c'est de l'argent. En outre, tout le monde a entendu parler de Merlan l'Enchanteur et des truites du labeur. En résumé, mets ta carpe et n'oublie pas que la raie hausse tas.

– Lorsque deux entreprises agricoles déposent leur bilan de concert, doit-on les renflouer à tout prix ?

Non, car les deux ferment.

– Est-on assujetti à honorer sans délai sa signature bancaire ?

Oui, les chèques aiment hâte.

– Quel est le poste le plus élevé dans l'administration ?

Balayeur, car il faut connaître les secrets des tas.

Les secrets des tas.

– Les économistes superstitieux doivent-ils se garder de courir autour des braises ?

Absolument, car un feu las, si l'on galope, hante.

– Pourquoi a-t-on souvent comparé l'industrie sidérurgique – en perte de vitesse – à une vieille dame ?

Parce qu'on dit : Mamy Fer.

– Faire collection de métiers à tisser constitue-t-il, à terme, un investissement rentable ?

Bien entendu, puisqu'on achète bien l'écheveau.

– Est-il exact que les lingots demeurent le placement préféré des sans-abris ?

Evidemment, l'or loge.

– *Les cours du métal jaune sont-ils fixes au Brésil ?*

En effet, puisqu'on dit l'or à taux Rio.

– *Quel métal précieux est imputrescible ?*

L'or, car l'or dure.

– *Faut-il en acheter ?*

Oui : de l'or ayez.

– *Tout le monde doit donc s'en procurer ?*

Oui : de l'or ayons.

– *Ils ne grimpent pas trop vite, au moins ?*

Non, ce sont des ors taux lents.

– Nous en tirerons satisfaction ?

En effet, dès après votre achat, vous pousserez des cris d'or frais, et vous direz : or, je l'ai.

– Mais où conserver ces lingots ?

Dans une potiche chinoise, par exemple, puisque l'on dit : donnez-moi de l'or en jade.

– Il faut donc renoncer à entreposer les précieux kilos dans une cave à vins ?

Bien entendu, puisque la lie gâte or.

– Passons à autre chose. Pourquoi les commerçants remplissent-ils leurs vitrines de photos suggestives ?

Parce que l'appât tente.

– Et pourquoi ceux qui s'occupent de gérer la fortune des Africains sont-ils pour la plupart homosexuels ?

Parce qu'ils ont l'écu des foncés.

– Lorsque plusieurs hippies laissent un acompte, peut-on les laisser partir en toute quiétude ?

Oui, car ce sont les arrhes des corps à tifs.

– Manipuler des pièces présente-t-il le moindre risque ?

Oui, car les sous coupent.

– Ceux qui font commerce de comptes doivent en ressentir des traumatismes, dans ces conditions ?

Exact : seuls les fous gèrent.

Religion

Dieu est un problème délicat qui hante les hommes. Comment s'y reconnaître ? Comment discerner ce qui est bon ou mal ? D'où venons-nous ? Où allons-nous ? et avec qui ?

Le présent chapitre deviendra pour beaucoup un véritable guide de vie, tandis que les autres y puiseront au moins quelques connaissances.

La Bible

Véritable acte de foi, la Bible constitue le phare spirituel, la source de nombre de religions monothéistes. Hélas, on ne sait pas toujours comment interpréter ses nombreuses paraboles. C'est pourquoi nous pensons que les précisions qui suivent ne nuiront pas à la compréhension universelle (marin).

– *Dans l'Ancien Testament, le premier homme nous est-il décrit comme ayant une solide dentition ?*

Oui, puisqu'il se brosse, Adam.

– *Quelles furent les premières paroles du Créateur après qu'il eut façonné les grenouilles ?*

« Coassez et multipliez ».

– *Moïse avait-il une femme autoritaire ?*

Oui, puisqu'il passa sa vie avec Lady Commandement.

Moïse
passa
sa vie avec
Lady Commandement
DECA LOGUE
PAR CA

– Les textes excusent-ils le fait de s'adonner à la boisson ?

Oui : car à « tout pichet miséricorde ».

– Lorsqu'une créature ailée du ciel se laisse aller en fin de repas, peut-on le lui reprocher ?

Non : vive les vents d'anges !

– L'histoire de l'enfant prodigue et de son retour a quelque peu été romancée dans la Bible. Il est prouvé que le père, dans la réalité, jeta à la figure de son fils le vin qu'il était en train de boire. Etes-vous d'accord ?

Oui : c'est ce qui s'appelle flanquer un pot sur le revenu.

– En quels termes exacts Jésus recommande-t-il à ses ouailles de pratiquer l'urbanité ?

Ceux-ci : « Meaune aux polis ».

– D'aucuns prétendent que le Christ fut tué par un chat, ce que le Nouveau Testament confirme, connaissez-vous le verset exact ?

Oui : Jésus est descendu par Minou.

– Lorsque le Christ mourut, un des apôtres prononça le « Rigor Mortis » ; cependant, un témoin qui anticipait la Résurrection voulut s'interposer. Que répondit saint Jean, connu pour son esprit conciliant et son amour des délices de la table ?

Ceci : « Laisse au sis son dupé Rigor ».

– Cela dit, peut-on croire sur parole ceux qui ont rédigé la Bible ?

Non : car ils faisaient l'Epître.

– Que dit Jésus au diable alors que ce dernier tentait d'empoisonner une rivière ?

« Tu gâtes eau, alors ange ? »

– Lorsque saint Thomas fut dévoré par un cheval, nul ne s'y opposa, pourquoi ?

Parce que le propriétaire de l'animal avait dit : « Laisse Thomas dans l'étalon. »

– Pourquoi les disciples du Christ devinrent rapidement riches ?

Parce que les saints taxent.

Liturgie, rituels, etc.

– En quels termes le noceur adresse-t-il sa prière du soir ?

« Bénis soient la verge et tous les seins ».

– Pourquoi les catholiques s'arrogent-ils le droit d'injurier leurs concitoyens à la messe du 25 décembre ?

Parce qu'ils chantent : « Minuit crétins ».

– Comment nomme-t-on le prêtre qui prend la place du Saint-Père en cas d'attentat ?

Le sous-pape de sûreté.

– A la suite d'une réunion plénière des évêques, le pape doit-il adresser un message au peuple des croyants ?

Oui, parce qu'après un concile, y'a bulle.

– A ce propos, que dire si cette missive est peu aimable ?

... Que c'est une bulle de savon.

— Comment expliquer que les envoyés du pape possèdent une éducation très relâchée ?

Nous n'en savons rien ; toujours est-il que lorsqu'on en rencontre, il suffit de leur adresser le bonjour d'un « salut légats ! ». Remarquez que les Grecs ne sont guère mieux lotis puisque eux saluent leurs dignitaires d'un simple « Salut mon pope ! ».

— Pourquoi les vieilles coquettes respectent-elles Carême ?

Pour faire jeûne.

— Le rituel de la messe nous enseigne que l'alcool constitue le meilleur remède contre la constipation. Pourriez-vous extraire la citation qui précise ce fait ?

Oui : « Ah ! gnole de Dieu, qui guérit les pêts chers du monde... »

– *Quelles paroles de réconfort doit prononcer le prêtre au chevet d'un grand accidenté ?*

« Dieu vous prothèse ! »

– *Doit-on se méfier du diable et de ses entourloupes ?*

Certainement : avec Méphisto, on Satan à tout.

– *Les prêtres défroqués ont-ils l'estomac fragile ?*

Oui, puisqu'ils sont sujets à des crises de foi.

– *De nos jours, l'activité principale – d'ailleurs épuisante – de nos prêtres consiste à prêcher ou à célébrer des mariages ; s'avère-t-il, en revanche, facile de les approcher ?*

Bien entendu, puisqu'ils sont toujours las, en chaire et en noces.

– *Que dire des pamphlets antireligieux ?*

Ce sont de véritables coups de pieds au culte.

– *Comment nomme-t-on l'outil de travail d'un prêtre surmené ?*

L'autel de l'hagard.

– *Pourquoi les agriculteurs se méfient-ils des prêtres à cheveux longs ?*

Parce que l'abbé à tifs y'casse sillon.

– *Pourquoi les moines consomment-ils du potage ?*

Pour rester avec leurs verts missels.

– *Pour quelle raison règne-t-il souvent une odeur désagréable dans les églises ?*

Parce que les troncs pètent.

– Que se passe-t-il lorsque les sacristains jouent à la belotte durant la cérémonie préparatoire de la messe et que l'un des participants ne remporte aucun des plis annoncés, à cause de son partenaire ?

Le capot râle, le co-mandant et le sous-office y est.

– Dans quel but les jeunes recrues, à l'armée, honorent-elles le culte ?

Pour devenir père-missionnaire.

– Quel est le saint patron des coiffeurs ?

Saint Ignace.

Athéisme, religions non reconnues par Rome

(Une notule fort courte, on l'aura compris.)

Qu'est-ce qu'un agnostique vivant à Pékin ?

Un athée de Chine.

– *Pourquoi les faux dieux de l'Antiquité, lorsqu'ils avaient convaincu un nouveau disciple, rapetissaient-ils ?*

Parce que les crus se tassaient.

– *Quel est le dieu des chasseurs ?*

Pan.

– *Et celui des charcutiers ?*

Lare.

– *Que représente le chêne pour les Gaulois ?*

Le hêtre suprême.

– *Les francs-maçons peuvent-ils nous donner des leçons de bonne conduite ?*

Oui, car ils ont une vie digne des loges.

Nature

Les sciences naturelles constituent un des domaines les plus captivants qui soient ; connaître le monde dans lequel on vit, voilà une démarche saine mais vaste ! Grâce à une technique à présent éprouvée, nous allons tâcher d'éclaircir nombre de zones d'ombres.

Zoologie

Les animaux nous surprennent : telle espèce adoptera tel comportement, telle autre son contraire... Comment en sortir ? Voici les réponses :

CIEL, MON MARI!

– *Peut-on établir une différence entre un crocodile et un alligator ?*

Aucune : c'est caïman la même chose.

– *Quel est l'oiseau le plus gai ?*

Le geai, puisque le geai ricanne.

– *Et l'oiseau le plus porté sur l'alcool ?*

L'échanson, puisque l'échanson à boire.

– *Quel est le chien le plus drôle ?*

Le chow-chow, puisque chow-chow l'est marrant.

– *Pourquoi faut-il éviter de faire un bon mot dans une écurie ?*

Pour éviter l'haras qui rit.

L'haras qui rit.

– *Où trouve-t-on les meilleurs élevages de chevaux ?*

A Blois, puisqu'on dit : les chevaux de Blois.

– *Et justement : les chevaux de haras ont-ils une espérance de vie importante ?*

Hélas non, car ils sont condamnés à mors.

– *Quoi qu'il en soit, doit-on se méfier des chevaux désobéissants ?*

Absolument : ce sont des animaux faits rosses.

– *Est-il vérifié qu'un chat puisse donner naissance à deux lions ?*

Oui, puisque le chat pond deux lions.

– Pourquoi cet animal n'apprécie-t-il pas d'être mouillé ?

Parce que dans l'eau minet râle.

– Et lorsqu'il veut à tout prix se mettre en avant, pour peu qu'il soit affublé d'un museau disgracieux, que peut-on dire ?

Chat laid de nez s'est cité.

– Ces félins domestiques sont-ils plus rapides que les bovins ?

Bien entendu : les chats ruent avant les bœufs.

– Est-il exact que les escargots aient pour habitude de se réunir autour d'un certain fruit ?

Oui, c'est au pied des mûres qu'on voit limaçons.

– Si votre chat se comporte comme un pleutre, devez-vous le brûler ?

Cela arrive ; c'est ce qui s'appelle mettre le feu à lâche minet.

– Est-il agréable de parler à des moutons qui viennent de passer à la tonte ?

Oui, car ils ont la laine fraîche.

– Pourquoi les perroquets craignent-ils le froid ?

Parce que l'ara caille.

– Pourquoi les ovidés ne trouvent-ils pas le sommeil en position allongée ?

Parce que le veau dort, et toujours debout.

– A ce propos : les paysans gardent-ils les ovins atteints d'aérophagie ?

Non, car ils n'ont aucun veau qu'a bu l'air.

DANS L'EAU
MINET RÂLE!

– Au fait, avez-vous remarqué que les exploitations agricoles les plus démunies sont précisément celles qui ne transigent pas sur la qualité du cheptel ?

Pas étonnant : dans une ferme en ruine, on condamne les veaux laids.

– Comment nomme-t-on les petits des tortues ?

Les cailles de tortue.

– Que se passe-t-il lorsqu'un cerf met bas ?

On dit que le cerf vêle.

Jardinage

Un des loisirs les plus répandus actuellement, à n'en pas douter (de Ceylan) ! Convenons toutefois que nombre de citoyens ne sont pas au fait des techniques et des us qui ont cours dans nos jardins. Voici matière à réflexion :

– *Comment se nomme l'engin qui sert à brasser le contenu des bacs à fleurs ?*

La pelle au terreau.

– *Est-il économique d'arroser sa pelouse en alimentant le tuyau au robinet ?*

Certainement pas car à l'eau jet coûte.

– *Quel est le seul légume dont l'absorption génère, chez l'homme, un bouleversement du temps subjectif ?*

Le radis, puisque le radis hâte heure.

– *Lorsque les rongeurs partent à l'assaut de nos parties génitales, suffit-il de les attraper ?*

Mais oui, puisque quand les rats quêtent de pénis, les bras guettent.

– Et si ces nuisibles s'attaquent au jardin, que préférer pour les contrer : deux morceaux d'une robe de mariée ou un compagnon à quatre pattes ?

Un chien vaut mieux que deux tulles aux rats.

– L'utilisation de la bombe insecticide constitue-t-elle un loisir captivant ?

Non, mais cela permet en tout cas de tuer le taon.

– Comment nomme-t-on celui qui retourne à l'état sauvage en se couvrant la face de terreau et en se prenant pour un rongeur ?

L'homme-belette aux mottes de terre.

– Peut-on organiser une soirée dansante dans un jardin potager ?

Bien sûr : c'est un endroit où les potes iront.

– Au fond, les forêts denses, riches en gibier à poils, n'est-ce pas le meilleur refuge pour les habitants de nos cités ?

Absolument : ce sont des sites à daims.

Culture, élevage

Pénétrons à présent dans l'aspect professionnel de la campagne (et paréo). Beaucoup vivent sur et de la terre. Ce sont des métiers rudes où la connaissance du climat, de la flore, etc., est requise. Pour plus de précisions, lire ce qui suit.

– Quel est l'arbre le moins dense ?

Le hêtre, puisqu'on dit : l'insoutenable légèreté de l'hêtre.

– Peut-on éliminer les mauvaises herbes d'un terrain de tennis, quitte à les replanter ultérieurement ?

Non, ne pas emprunter les orties de ce court.

– Le tonnerre, la pluie, les éclairs constituent-ils autant d'éléments profitables aux agriculteurs ?

Mais oui, puisqu'on dit orages : eaux des espoirs !

– Les éleveurs de porcs sont-ils charitables ?

Aucun doute, puisqu'ils aident aux truies.

– Le système qui consiste à ne pas fertiliser la terre tous les quatre ans vous paraît-il fiable ?

Nous en doutons, puisqu'on dit : la jachère est faible.

– Que répond le propriétaire terrien à l'ouvrier écologiste porté sur la boisson qui creuse un trou sans entrain ?

Ceci : « Ma gnole y'a, fore, eh, vert ! »

– Pour qu'un document officiel soit correctement timbré et visé par l'administration, on considère qu'il faut se rendre en forêt, à l'endroit précis où le mâle de la biche ramasse ses herbages. Sur quoi se base-t-on pour affirmer cela ?

Sur la célèbre phrase : Avalise où le cerf cueille.

– La culture du blé est-elle acceptée par les gens de lettres ?

Oui, car l'épi se tolère.

– Pourquoi les onanistes se rendent-ils souvent à la campagne ?

Parce que les champs branlent.

– *Quelle plante nécessite un arrosage au métal précieux ?*

La fleur d'or en jet.

– *L'usage veut que l'on rémunère les ouvriers agricoles au nombre d'insectes éliminés par leurs soins. En connaissez-vous la raison ?*

Oui, ils sont payés au taon passé.

Santé

Le bien-être du corps devient une démarche beaucoup trop complexe pour être laissée aux seuls médecins (en goutte d'eau). Un vaste panorama de la question, tel se présente ce chapitre indispensable (d'Olonne).

Hôpitaux

La Sécurité sociale est, on le sait, en déficit et les hôpitaux connaissent nombre de problèmes ; cerner mieux les besoins et les méthodes, telle est notre démarche (à pied).

– Quelle est la devise des infirmières ?

Je panse, donc j'essuie.

– Pourquoi la plupart d'entre elles sont-elles de race noire ?

Parce qu'elles enfilent des blues.

– On a remarqué que les brancardiers natifs de la ville de Nice avaient une solide réputation de maladresse. En voyez-vous la raison ?

Sans doute parce qu'on dit : « Aux Niçois qui mal y' panse. »

– Les infirmières refusent souvent de travailler pour les spécialistes du nez ; les excusez-vous ?

Oui, l'oto-rhino, c'est rosse.

– Vous paraît-il utile d'allouer une allocation aux malentendants dans le besoin ?

Non, parce que les sourds dînent.

– Les couturières à domicile sont-elles habilitées à établir des diagnostics médicaux ?

Oui, puisqu'elles pratiquent l'habit au logis.

– Pourquoi les personnes atteintes de troubles pulmonaires cherchent-elles en priorité à faire des cures en régions orageuses ?

Parce que l'éclair dénote air.

– Pourquoi les chirurgiens plasticiens utilisent-ils souvent les services de garçons-bouchers ?

Parce que le commis sert de peau lisse.

– Est-il exact que ces mêmes personnes n'hésitent pas à s'occuper de ce qui ne les regarde pas ?

Oui, ce sont de vraies tousse à toux.

– *Pourquoi les internes s'avèrent-ils lents d'esprit ?*

Parce qu'ils ne comprennent rien aux maux croisés.

– *Lorsque la journée s'achève, le chirurgien doit-il se dépêcher ?*

Certainement, car il faut qu'il attrape le drain de 6 h 47.

– *Quelle est la maladie pour laquelle chacun d'entre nous cotise ?*

L'arthrite.

– *Comment expliquez-vous le fait que les dentistes de sexe féminin, déléguées aux hôpitaux, multiplient les frasques sexuelles ?*

Parce qu'elles traquent le mâle dedans.

– *Et pourquoi a-t-on comparé la rage de dents à un drame classique ?*

Parce que c'est une tragédie de racine.

– Lorsqu'une malade garde la chambre, peut-on lui faire confiance ?

Non, elle est trop au lit pour être honnête.

– L'hôpital de Caen a-t-il bonne réputation ?

Certainement pas : Caen délabre.

Drogue, tabac, alcoolisme

Les fléaux de nos cités... De plus en plus, l'existence survoltée et stressante que nous menons conduit certains d'entre nous à s'adonner à de bien pitoyables exutoires. Ces mauvais amis (don) doivent être combattus, ne serait-ce que par la connaissance de leurs attraits et de leurs limites.

– Fréquenter les débits de boissons mène-t-il droit à l'ivresse ?

Oui, les bars biturent, hic !

– Il faut remarquer que la plupart de ceux qui ne rechignent pas à la tournée générale restent minces...

C'est normal, ils ont le verre solidaire.

– Si l'on vous comprend bien, il faut préférer l'eau de pluie au vin par décalitres entiers :

Bien sûr, d'autant qu'on dit : « Fontaine, je ne boirai pas de tonneau. »

– Donc, vive l'eau !

Attention cependant : l'eau mine et râle.

– Conseillez-vous aux alcooliques de chercher refuge dans des appartements bien isolés du froid en hiver ?

Non, car l'abri au chaud beurre.

– A ceux que la calvitie guette, peut-on recommander de fréquenter les débits de boisson ?

En aucun cas : dans les bars, là périt tif.

– Pour clore ce débat, accréditez-vous l'idée que l'alcoolisme garantisse la longévité ?

Incontestablement : les saouls durent.

– En tout cas, la tabagie est un mal moins grave ?

Peut-être, mais c'est un vrai attrape-nicot.

– Néanmoins, on prétend que prendre des médicaments à outrance rend heureux...

C'est en partie vrai, puisqu'on dit : « Pour vivre heureux, vivons cachets. »

– Et la drogue, crée-t-elle un lien entre les hommes ?

Oh non ! la came isole de force.

Pédiatrie

Nos enfants méritent toute l'attention et le sérieux possibles car ils sont notre chair et l'avenir. C'est dire l'importance de la présente notule (de la mariée).

– Pourquoi donne-t-on dès la naissance des champignons de belle taille aux prématurés ?

Parce qu'ils sont nés grâce aux forts cèpes.

– Que dit le bébé nu à sa mère lorsque cette dernière lui fait prendre son bain ?

« C'est un plaisir, sans mes langes. »

– Pourquoi faut il éloigner les enfants de petite taille d'une trop longue exposition au soleil ?

Parce que le mini-môme vite hâle.

– Est-il exact que les bébés nés sans cheveux soient plus gais que les autres ?

Oui, car les chauves sourient.

– Doit-on restreindre la consommation d'une certaine boisson gazeuse (surtout non réfrigérée), à nos enfants ?

Oui, pas trop de chauds colas.

– Doit-on prendre à la lettre ce que disent les mères porteuses ?

Non, méfions-nous des ragots de la co-mère.

– Quelle est la brosse à dents la plus efficace à conseiller à nos chérubins ?

Un parapluie neuf, puisqu'il donne la baleine fraîche.

Les chauves sourient.

– Si l'on constate une certaine nervosité chez l'adolescent, peut-on lui prescrire de l'hydroxyde de sodium ?

Absolument pas, car la soude cause tics.

– En cas de pipi au lit, doit-on faire jouer son enfant au loto ?

Non, car il risquerait, une fois de plus, de manquer de pot.

– Est-ce que l'ictère du nourrisson présente un aspect inquiétant ?

Pas du tout : il faut bien que jaunisse se tasse.

Gynécologie, troubles féminins, cosmétologie

Le sexe faible est une mécanique de précision dont peu possèdent le diagramme de fonctionnement, si tant est qu'il existe. On comprendra donc qu'il reste des zones d'ombre, même après lecture de ce qui vient (t'auras du boudin...).

– *Est-il exact que la plupart des femmes qui ignorent le plaisir physique deviennent peu à peu boulimiques ?*

En effet ; à la cuisine, les frigides errent.

– *Comment expliquer que les femmes bronzées se rendent à Rungis, les vacances achevées ?*

Elles y vont pour retrouver l'effort des hâles.

– *Doit-on croire sur parole une femme malade ?*

Non, car elle est sujette à potions.

– Pourquoi les lésions du vagin causent-elles d'atroces douleurs ?

Parce que la raie alitée dépasse l'affliction.

– Comment se fait-il que la chanteuse Line Renaud se soit spécialisée dans le traitement de l'affaissement de poitrine ?

Parce que celle-ci répète : « Vague sein à la peine, ici Line. »

– La plupart des jeunes femmes doivent maigrir lorsque les beaux jours reviennent, croyez-vous qu'un verre de vin empêche de prendre du poids sur le bas des hanches ?

Oui, car on dit : « En mets, fesse, kil te plaît. »

– Le produit qui permet à ces dames de donner des reflets roux à leur chevelure mérite-t-il, selon vous, trois étoiles ?

Certes pas ; une étoile, henné.

– Ce traitement peut-il servir à tous ?

Bien sûr : c'est l'henné de la famille.

– Y compris au jeune bébé ?

Sans aucun doute : Il henné, le divin enfant.

Urologie, constipation

Des domaines fort douloureux qui conduisent nombre de patients à faire le siège de leur médecin.

– Peut-on conseiller aux malades atteints de troubles urinaires la consommation d'œufs durs ?

En aucun cas, puisque quand les œufs sont faits, rein ne va plus.

– *Est-il utile de se laver l'appareil génital avant de se coucher ?*

Non, les pines dort sales.

– *Doit-on prescrire tripes et rognons dans l'alimentation du constipé ?*

Pas question, car l'abats bouche.

– *Connaissez-vous une incantation susceptible de débloquer la situation du malade ?*

Oui, celle-ci : « Sors ton nez, pêt ! »

– *En tout cas, une cure d'osso-bucco ne peut qu'aider le malade.*

En effet, toutefois, il sera aux jarrets de rigueur.

– *En outre, il faudra qu'il se tienne droit à table.*

Parfaitement observé : bien mal assis ne profite jamais.

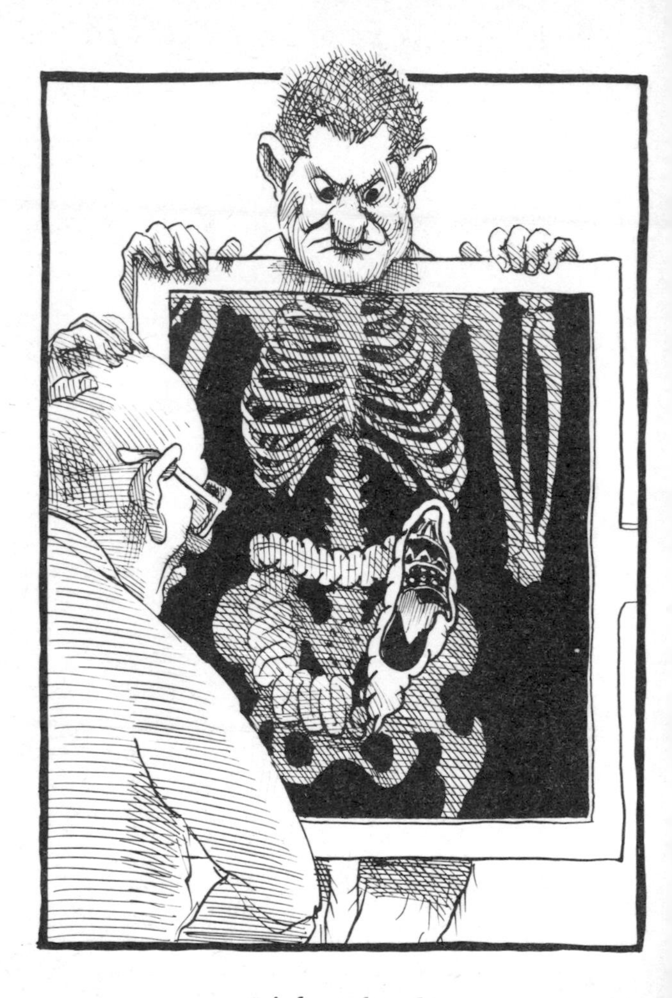

L'abats bouche.

– Et l'air de la campagne ne peut lui faire que le plus grand bien !

Oui, là-bas les culs rient.

Hygiène quotidienne

Face à la maladie, des précautions s'imposent et sans que la situation soit préoccupante (90°), il convient d'observer une attitude pragmatique en toute circonstance. Ce petit pense-bête est à afficher dans la maison, car il constitue un guide utile à se remémorer souvent (à décorner les bœufs).

– Quel est le seul os à posséder un tympan ?

Le fémur, car les fémurs ont des oreilles.

– Si l'on donne des baisers à tout bout de champ, peut-on espérer une amélioration du teint ?

Non : qui trop embrasse a mal au teint.

– Les personnes allergiques aux bourgeons et aux phénomènes du printemps – ce qui se traduit aussitôt par rhumes, démangeaisons, etc., ont-elles intérêt à visiter l'Espagne ?

Certainement pas ! si l'on tousse, tâchons d'éviter les spores d'Ibères.

– A propos d'allergies, il a été constaté que les rhumes avaient entraîné chez certaines peuplades d'Europe du centre une pigmentation accrue de la peau ; quelques explications pourraient-elles nous être données ?

Les voici : toux teint chaque Hun...

– Le maquillage préserve-t-il la peau ?

Non, car les bases-teint gagent.

– *Pourquoi compare-t-on un israélite atteint d'incontinence à un instrument de musique ?*

Parce que c'est Lévi aux longues selles.

– *Qu'est-ce qui nous permet d'avancer qu'une grave maladie de peau, si elle se déclare sur l'arrière-train, peut devenir douloureuse ?*

Ceci : lèpre aux fesses heurt.

– *Quelle plante à bulbe ragaillardit par ses seules vertus naturelles ?*

L'oignon, puisque l'oignon fait la force.

Sida

Nous ne pouvions achever ce chapitre sans évoquer les plus

récents développements de l'actualité, la maladie nouvelle dont tout le monde parle mais dont chacun sait bien peu. Là encore, des précisions ne nuiront pas à la compréhension des phénomènes (et Loire...) et instruiront ceux qui en ignorent beaucoup – en espérant que ce terrible fléau cessera un jour ou l'autre grâce à l'âpreté de nos savants (de Marseille).

– *Pourquoi le sida rend-il fou ?*

Parce qu'il fait perdre les pédales.

– *Comment en définir les affections ?*

Ce sont des lésions dangereuses.

– *Pourquoi les malades commencent-ils toujours par prévenir la sœur de leur mère ?*

Parce qu'ils disent : « J'en parlerai à ma tata. »

Cuisine

L'art français par excellence (à incendie...).

Pour séparer le bon grain de l'ivraie, il convient de préférer la modération à la hâte. Qualité des achats, respect des cuissons, soin de la présentation, tels sont quelques-uns des aspects à ne point négliger. Avant même de pénétrer dans la cuisine, lisez et relisez ce qui suit.

Connaissance du produit

Un plat réussi ne peut le devenir que si les produits qui le composent sont de bonne qualité (de Ceylan) ; c'est dire l'importance des quelques règles ci-jointes.

– *Quelle est la couleur des petits pois ?*

Les petits pois sont rouges.

– *Comment les ramasse-t-on ?*

Les petits pois sont pêchés en rivière.

– *Pour réussir une daube, peut-on utiliser les restes d'un défunt ?*

Bien entendu, puisque : « Pas de fumet sans feu. »

– *Les bons bouchers font-ils de bons œnologues ?*

Oui, car ils privilégient les meursault choisis.

– *Quel fromage peut remplacer le chewing-gum ?*

Le munster, puisqu'on dit : « Munster est boule de gomme. »

– *Feriez-vous confiance à un fabricant de foie gras qui ignorerait tout du Code civil ?*

Certainement pas. Pour réussir le foie gras, consultons un homme de l'oie.

Restauration

Pour conserver un établissement digne de ce nom, ou pour savoir en choisir un, il faut connaître un certain nombre de trucs et d'astuces réservés jusque-là aux seuls initiés (du bois). Vous allez désormais faire partie des privilégiés.

– Pourquoi les grands cavistes, afin d'exercer correctement leur métier, se doivent-ils d'étudier la littérature islamique ?

Pour savoir discuter de chais et rasades.

– Quel moyen peut utiliser un restaurateur mécontent pour se débarrasser du tandem Gault-Millau, ou du moins de la moitié de ce redoutable duo ?

Celui-ci : Seau d'eau met Gault mort.

– Lorsqu'un groupe vocal en déplacement s'installe dans votre établissement et commande six hot dogs, doit-on forcer sur l'assaisonnement ?

Non, car le chœur a six rations, que l'harissa ignore.

– Les chefs traînent la réputation de martyriser les commis de petite taille. Mais à y bien réfléchir, peut-il en être autrement ?

Non, au restaurant, tout le monde veut commander le menu.

– Pourquoi est-il préférable de tuer le cochon dans la salle du restaurant, plutôt qu'à l'extérieur ?

Parce qu'au jardin, le porc tique, et à table le porc salue.

– Lorsqu'un enfant se met à enlever les fleurs jaunes disposées sur les tables, est-il exact que vous devez lui servir de la bisque de homard pour le faire cesser ?

Oui, car les bisques ôtent au petit des genêts.

– Pourquoi les filles de salle, préposées au nettoyage, connaissent-elles l'art de préparer le lapin ?

Parce qu'elles savent ce que c'est que les civets.

– Il n'est pas rare que des conflits éclatent en cuisine, parfois jusqu'au drame. En cas de meurtre, quel est le policier spécialisé dans ce genre d'affaire ?

Le commissaire Magret.

A table

Le repas est servi ; que se passe-t-il dans nos assiettes ?

A grands traits, nous vous le disons (futé...)

– Le far breton est-il un dessert fort en bouche ?

Non, le far fade est.

– Est-ce un gâteau recommandé à ceux qui souffrent d'hémorroïdes ?

Oui, car les fars m'assied.

– Doit-on passer cette spécialité bretonne au four avant de servir ?

Non, gare aux chauds fars !

– Pour finir, convient-il de décorer à outrance ce dessert ?

Surtout pas : il est né nu far.

– Où trouve-t-on les meilleurs digestifs ?

Dans les sex-shops, car il y a beaucoup de vieillards maniaques.

– Quel plat ne doit-on jamais servir à un policier qui traque un de vos amis en fuite ?

Un cygne allemand.

– Peut-on laisser s'amuser un jeune enfant avec un soufflé chaud sorti du four ?

Non : soufflé n'est pas jouet.

– Pourquoi le thym est-il considéré comme du genre féminin par les catholiques disciples de Mgr Lefebvre ?

Parce qu'ils disent : « Vive les mets sans la thym. »

– Les escalopes peuvent-elles être servies en restes le lendemain ?

Bien entendu, puisqu'elles sont panées d'hier.

Cuisine étrangère

Nous mettons en exergue quelques singularités culinaires (de bœuf).

– Pourquoi les gourmets italiens connaissent-ils de graves troubles mentaux ?

Parce qu'ils vénèrent la pâte au logis.

– Comment nomme-t-on la sauce de lapin au Canada ?

Le sirop des râbles.

– Les paysans allemands qui rechignent à produire du foie gras (alors qu'à 30 kilomètres, leurs homologues français le font), sont-ils dignes de considération ?

Pas du tout, ils sont sans foie, ni l'oie.

– Que dit-on à Venise lorsque le cours du poisson subit une forte baisse ?

La raie glisse de cinq florins.

Monde du travail

Syndicats, commerces, P.M.E., industries, droit du travail et tutti quanti... autant de questions qui amènent les chefs d'entreprise, comme les cadres, à suivre des séminaires de formation ou des stages. Avec le présent chapitre, toute pédagogie ultérieure devient inutile (l'espiègle). Un tableau précis et serré de la situation, voilà ce qui est proposé aux hommes responsables qui sont nos lecteurs (d'aller au dodo).

Industrie, grands travaux

Le tissu industriel national a été recomposé dans les années cinquante-soixante. Sous l'impulsion d'un nouvel ordre économique mondial issu de la dernière guerre, le patronat français a eu à faire face d'une part (de gâteau) à une nouvelle croissance (unique), d'autre part, à un élargissement de la circulation des biens conduisant (ou réglisse) à une redéfinition de la concurrence. Comment ces deux courants ont-ils été absorbés, quelles sont les stratégies des prochaines années, que nous réserve la restructuration amenée par l'informatique, autant de perspectives résolues dans ces pages.

– Comment expliquez-vous que la firme Dunlop possède une sacristie dans chacun de ses ateliers ?

Pour communiquer avec le royaume d'essieux.

– Sous l'impulsion de la Vᵉ République, une politique de création des H.L.M. a été conduite. Aujourd'hui, la gestion de ces programmes devient source de tracas. Comment déloger les mauvais payeurs ?

Par la force des bails honnêtes.

– Les usines de fabrication de chemises et collants sont perpétuellement soumises aux revirements de goûts de la clientèle. Comment expliquez-vous cela ?

Par le fait que dans la vie, il y a des hauts et des bas.

– Les camions à ordures français, cela n'existe pas. Une ville d'Espagne en a, en effet, le monopole, d'autant que la technologie avancée de ces engins les rend totalement silencieux. Mais au fait, quelle est cette ville ?

Cadix, puisqu'on dit : « La benne de Cadix à l'essieu de velours. »

– *Quelle est la référence commune à toutes les usines de socquettes ?*

Le mètre étalon de chaussure.

– *Pourquoi se garde-t-on d'embaucher nos frères de couleur dans l'industrie lourde ?*

Parce qu'il faut faire attention aux accidents de l'ami noir.

– *Pourquoi faut-il protéger les compteurs électriques de nos usines ?*

Pour respecter les droits de l'ohm.

– *Les sources minérales constituent un des apports les plus conséquents en devises de notre activité industrielle. Les dirigeants de la mise en bouteilles de ces eaux de sources passent pour se comporter en patrons peu démocrates. En connaissez-vous la raison ?*

Oui : ils exploitent l'eau primée.

– Trouve-t-on des infirmières délurées dans les fabriques de soutiens-gorge ?

Non, il y a uniquement des corps sages.

– Quelle entreprise de cosmétiques développe la politique d'expansion la plus audacieuse ?

L'Oréal, car l'Oréal est hardie.

– Pourquoi rencontre-t-on beaucoup d'Asiates dans le secteur du bâtiment ?

Parce que ce sont des coolies maçons.

– Comment expliquez-vous que la plupart des marchands de papier soient de gauche ?

Par le fait qu'ils fabriquent de la pâte à tract.

Petit commerce

Sans faire de bruit, le petit commerce constitue la colonne vertébrale de notre activité économique. Aux honnêtes commerçants nous disons bravo (aux hormones) ; nous brocardons les autres.

– *Pourquoi les bouchers n'ont-ils cure de l'inflation ?*

Parce que, lorsque tout augmente, ils se contentent de hausser les épaules, pour l'amour de lard, si bien que celui qui n'a paleron cherchera de la viande sans hausse.

– *De nos jours, les vendeuses conseillent à nos épouses les jupes plutôt relevées sur le genou. Est-ce si élégant que cela ?*

Non, c'est quasi mode haut.

– *Comment expliquer que les fermes modernes soient construites en tôle ?*

Parce que les tôles ont du lait.

– *Pourquoi les plombiers doivent-ils posséder un diplôme d'ophtalmologiste ?*

Pour installer les lunettes de w.c.

– *A quoi reconnaît-on un bon cordonnier ?*

A son alène.

– *Que dire d'un artisan matelassier natif d'outre-Atlantique ?*

C'est le cardeur américain.

– *Un patron de bistrot doit-il être avare pour réussir ?*

Oui, il faut qu'il soit près de ses saouls.

– *Le commerce des pompes funèbres s'est considérablement modernisé, au point qu'à l'heure actuelle on parvient à diviser en deux le prix de revient d'un cercueil. Est-ce exact ?*

En effet, c'est ce qui s'appelle faire d'une bière deux coûts.

– *Que produit principalement la ville de Caen ?*

Les lits (les lits de Caen).

– *Quels renseignements peuvent nous être apportés sur la profession de boulanger ?*

C'est une activité dont il convient de connaître toutes les ficelles et où il faut mener son monde à la baguette. D'ailleurs, croissant mon expérience : si on est dans le pétrin, on comprend que c'est un métier bâtard où l'on ne doit pas tirer au flan.

– *Quel est le plus grand centre de production boulangère en France ?*

Juan-les-pains.

– *Comment nomme-t-on l'instrument qui permet de fabriquer la pâte ?*

Le pétrin de marchandise.

– *Pourquoi les boulangers de campagne ajoutent-ils de l'amidon à la farine ?*

Parce que les pains bêchent.

– *Lorsqu'un commerçant lénifiant tente de vous faire acheter une paire de chaussures trop petites, que lui répondre, si l'on est gardien d'immeuble ?*

« Je suis raide chaussé. »

– *Pourquoi les fabricants de mongolfières succombent-ils à l'alcoolisme ?*

Parce qu'ils ont besoin d'air montant.

– Pensez-vous que la profession d'horloger autorise les retards et les oublis ?

En aucun cas. L'exactitude est la politesse des rouages.

– Est-il conseillé d'ouvrir un débit de boissons dans les régions côtières ?

Non, car près de la mer, les bars cassent.

– La fabrication et le façonnage des haltères de musculation reste une activité relativement artisanale, conduite sous la houlette d'hommes expérimentés qui surveillent pièce à pièce le bon déroulement des opérations. Mais au fait : quel est le secret de fabrication des haltères ?

Les poids sont bouillis.

– Avec quoi les nettoie-t-on ?

Les poids sont d'eau douce.

– *Et comment l'ouvrier procède-t-il pour leur garder leur forme ?*

Les poids sont surgelés.

– *Est-il exact qu'on puisse utiliser les haltères pour bricoler ?*

Oui, les poids sont marteaux.

– *Que se passe-t-il si l'on renonce à fabriquer un modèle d'haltère ?*

Les poids sont pas nés.

– *Pour clore cet exposé, que dire si l'on jette une haltère en l'air et que cette dernière parvienne jusqu'à la Lune, vers la droite ?*

Les poids sont alunis, latéral.

– *Dans quel but les coiffeurs élèvent-ils les grenouilles ?*

Pour soigner la raie nette.

La raie nette.

– Pourquoi nombre de parachutistes en retraite se reconvertissent-ils dans le commerce de gadgets asiatiques, même s'ils ont un physique avenant ?

Parce que le para vend chinois, quoique le para bel homme.

– Comment expliquer la curieuse habitude qu'ont les artisans sur émail d'aller taquiner le goujon dès qu'ils le peuvent ?

Facile : pêcher est source de bien d'émaux.

– Que dit le patron de péniche lorsque celle-ci est remplie à ras bord de sa cargaison ?

Ceci : « Les cales sont à fleur. »

– Comment appelle-t-on un débit de boissons interdit aux nains ?

C'est un bar haut de chaise.

– *Que signifie le symbole « π » en* couture ?

Il signifie que les brins de matière textile n'ont pas été totalement utilisés pour réaliser la confection prévue ; d'où l'expression : fil en trop, pi.

– *La ville d'Auch s'est rendue célèbre par son artisanat de confection. Doit-on pour autant arborer chemise ou pantalon de cette ville lorsqu'on est en vacances ?*

Certainement pas, car à la plage, masquons l'habit d'Auch.

Offre et demande d'emploi

En cette période agitée qui voit conjointement la montée du chômage (de Hollande) et la diminution des heures de travail, la circonspection sur ce sujet s'impose. C'est le sentiment qui prévaut ici (mécanique) nonobstant l'esprit de synthèse omniprésent.

– *Peut-on embaucher un chômeur alcoolique ?*

Oui, plutôt deux fois qu'une, car il a de la cuite dans les idées.

– *Et conseillez-vous de prendre dans une entreprise une femme laide qui parvient à donner l'illusion du contraire, native de Bourg-en-Bresse de surcroît ?*

Surtout pas : les ex-cageots de Bourg cognent.

– *La méfiance s'impose si l'on vous comprend bien : peut-on croire sur parole un homme de couleur durant le premier entretien d'embauche ?*

En aucun cas, car le Noir pressenti ment.

– Vous qui semblez vous y connaître sur le marché de l'emploi, sauriez-vous expliquer pourquoi les élèves de l'école Polytechnique ne fument pas la pipe ?

Bien sûr, c'est parce que les taupes y' n'en bourre.

– Examinons le problème vu d'en face. Si vous postuliez à un emploi et que l'on vous demande, pour vous éprouver, de sceller une enveloppe, mouilleriez-vous la bande collante ?

Certainement pas, puisqu'on dit : otc eau et colle.

– Toujours durant cet entretien, supposons qu'on vous demande d'appeler un correspondant dans la ville de Dreux ; comment vous y prendriez-vous ?

J'appellerais l'horloge parlante pour obtenir l'Eure.

– *Vous semblez très futé, vous devez être du genre à ne jamais verser d'acompte en boutique.*

Au contraire, je paie le double de ce qui m'est demandé, car bi-arrhes, franc c'est.

– *Embaucheriez-vous d'anciens pompiers ?*

Absolument. Ils sont sapeurs et sans reproches.

Professions libérales

Durement taxées par l'Etat, ces activités n'en constituent pas moins un véritable rempart (de boudin) contre la demande d'emploi, puisque les employeurs et les employés sont, dans ces branches, la seule personne (automne).

LES TÉMOINS N'ONT RIEN VU, EN PLEINE "NUIT ET BROUILLARD"
BARBIE

– Pourquoi un avocat peut-il prédire le temps ?

Parce qu'il est au barreau, Maître.

– Pour obtenir le diplôme d'avocat, faut-il apprendre le code au dernier moment, d'un seul coup ?

Non ; pour être maître, étalons.

– Que dire d'un avocat qui a le vent en poupe ?

Le maître décolle.

– Un avoué peut-il envisager de devenir cultivateur à sa retraite ?

Nous le déconseillons : la ferme tuerait clerc.

– Est-il exact que les architectes en renom soient alcooliques ?

Hélas oui, puisqu'ils sont premiers prix de rhum !

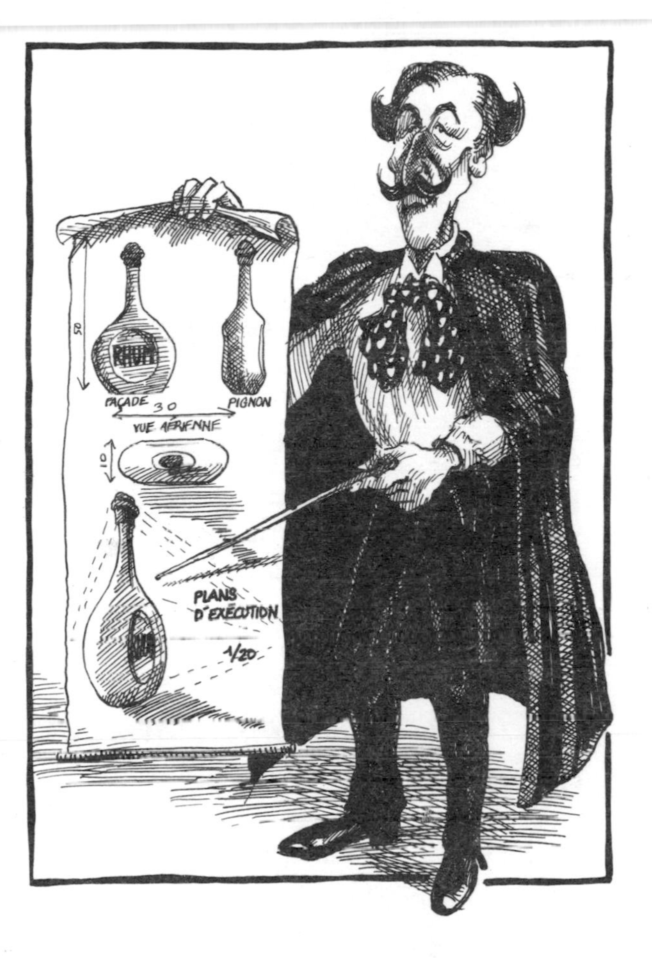

1er prix de rhum.

Show Business

Le spectacle, la politique, les sports, etc., tous les V.I.P. de notre petite lucarne sont ici décrits (d'offraie) avec moult détails sur leurs existences, peu connues du grand public.

Spectacle, télévision, cinéma, chanson

– *Pourquoi l'actrice Sandrine Bonnaire refuse-t-elle de vivre à Paris ?*

Parce qu'on dit : « La Bonnaire de la campagne. »

– La célèbre chroniqueuse hippique Pierrette Brès n'a pas un mari très avenant ; en connaissez-vous la raison ?

Oui, c'est l'époux laid de Brès.

– Que dit-on de Léo Ferré – qui n'est certes pas un Brummel – lorsqu'il se produit dans un endroit habituellement réservé aux épreuves tauromachiques ?

C'est laid Ferré de l'arène.

– On peut toujours se moquer de cet interprète, il n'empêche qu'il est un précurseur...

En effet : il a ouvert la voie, Ferré.

– Quel est le chanteur préféré des bûcherons ?

Dutronc.

– La chanteuse préférée des matelassiers ?

Lit Haut.

– Le chanteur préféré de ceux qui aiment s'embrasser ?

Bécot.

– Le chanteur préféré des financiers ?

Gold-mannes.

– Le chanteur préféré des fabricants de pneumatiques ?

Renaud.

– Et celui des propriétaires de moutons ?

Michel Berger.

– La chanteuse préférée des amateurs de rugby ?

France-Galles.

– *Pourquoi la comédienne Brigitte Lahaye suscite-t-elle des vocations sportives ?*

Parce que tout le monde veut sauter Lahaye.

– *Quel est le chanteur le plus détesté de France ?*

L'ex-mari de Sylvie Vartan, puisqu'on dit de lui : « J'honnis Hallyday. »

– *Est-il exact que Serge Lama soit terrassier à ses heures ?*

Oui, puisque Lama nivelle.

– *Et lorsque le créateur de « Napoléon » se rend dans un bar avec Alain Delon, pourquoi éprouvent-ils le besoin de se transformer en serveurs ?*

Parce que : « Lama-Delon, sers-nous à boire. »

– Alice Donna, qui a beaucoup composé pour Lama, est-elle, comme d'aucuns le prétendent, près de ses sous et joyeuse ?

C'est tout le contraire, puisqu'on dit d'elle : « La généreuse Donna triste. »

– Yves Mourousi vous paraît-il être un bon animateur ?

Oui, puisqu'on dit : « Prêter une oreille à tante Yves. »

– Nous avons évoqué Johnny Hallyday, parlons de Sylvie Vartan : pourquoi ne sort-elle que le matin de bonne heure ?

Parce que c'est la poubelle pour aller danser...

– On murmure que la chanteuse Dorothée ne rechigne pas aux apéritifs à toute heure de la journée, à l'inverse d'autres animatrices, qu'en est-il ?

C'est exact, elle croit au Pernod, elle.

— Popeye-le-Marin est-il alcoolique ?

Oui, car il tire sa force des pinards.

— Que peut-on dire du film de Marco Ferreri « la Grande Bouffe » ?

Ce n'est pas une œuvre à mets sages.

— Les détracteurs de metteurs en scène tels que Raoul Ruiz ou d'autres du même genre, prétendent que ces derniers, non contents de distiller l'ennui, sont les fossoyeurs du septième art. Leur donnez-vous raison ?

Oui, puisqu'on dit : « Les petits Ruiz sots font les grandes civières. »

— Faut-il se méfier des sautes d'humeur de Francis Bouygues ?

Oui, car avec lui, il y a des retours de béton.

– Pourquoi les chanteurs actuels ont-ils mal au dos ?

Parce qu'ils sont sujets aux scies à tics.

– Nous trompons-nous lorsque nous affirmons que les faussets sont toujours impécunieux ?

Non, ils ont les bourses vides.

– Maria Callas, prétend-on, a atteint des sommets dans l'art lyrique. Partagez-vous ce point de vue ?

Non, c'était un navet, Maria.

– En outre, la diva ignorait tout des règles d'hygiène, paraît-il. Quel est le seul compositeur qui parvint à lui faire prendre une douche ?

Gounod, car il fait laver Maria.

– Et que pensez-vous du niveau culturel de TF1 ?

Il n'y en a qu'une, c'est lacune.

– Vous préférez sans doute Canal + ?

Pas vraiment ; ça décode à plein tube.

– Comment nomme-t-on les héritiers de l'empire Lustucru ?

Les enfants de la pâte-riz.

– Arnaud de Rosnay, le regretté véliplanchiste, battait-il sa femme ?

Oui : il était sadique, Arnaud.

– L'animateur Jacques Martin est connu pour fidéliser son public ; êtes-vous d'accord ?

Indubitablement : Martin t'amarre.

– Jeanne Moreau a-t-elle bon caractère ?

Non, car on dit : « Moreau vache. »

– Saviez-vous que la chanteuse Line Renaud appartenait au Parti communiste ?

Bien sûr, puisqu'on dit d'elle : « Ce tas Line. »

– C'est sans doute ce qui explique la haine que lui voue un certain leader d'extrême droite...

En effet : Le Pen y'scie Line.

– Que dit-on à l'ouvrier qui accroche des tableaux au nouveau domicile de la chanteuse, mais qui s'en abstient parce que la maîtresse de maison s'affaire ailleurs ?

Ceci : « Veuillez raccrocher, la Line est occupée. »

– Si l'on vous donne le choix entre Loulou Gasté et deux jolies inconnues, qui choisissez-vous ?

Les hommes préfèrent mari-Line à deux neuves.

– Les bouleversements télévisuels qui ont eu lieu ces derniers temps vous ont-ils choqués ?

Oui : le Paf manque de vigueur.

– Si cela continue, vous allez préconiser une sorte de prise de la Bastille de l'audiovisuel ?

En effet : sus au Paf.

Politique

Pour qui voter (à la menthe) ? Quelles sont les chances de Untel ou de son adversaire (tropicale). Quel parti soutenir ? Que font nos gouvernants lorsque le rideau de l'homme public tombe ? Ce qui suit constitue un véritable guide du citoyen.

– Pourquoi a-t-on comparé Pierre Mauroy (un maire, tout à la fois peu rapide d'esprit et aux mœurs libérales, selon les dires de certains), à un poisson cuisiné à l'huile ?

Parce qu'on dit : « C'est un maire lent free. »

– En tout cas, il aime la musique…

En effet puisque c'est le rougeaud de Lille.

– Comment a-t-on surnommé Georgina Dufoix, connue pour répéter à satiété les mêmes choses ?

La scie rose Dufoix.

– Lorsque Edith Cresson était ministre du Commerce extérieur, on décréta que ses comptes manquaient de lisibilité ; en connaissez-vous la raison ?

Oui : c'était l'apurée de Cresson.

LE JOUR DE BOIRE ÉÉÉEST A-RRIVÉÉÉ!

– Que pensez-vous des qualités d'orateur de Lionel Jospin ?

Elles sont excellentes, puisque sa parole est : « dors » !

– Gaston Defferre était-il de gauche ?

Oui, c'était le Marx, Defferre.

– Avec le Président actuel, on ne sait pas où l'on va ; partagez-vous cette opinion ?

Bien sûr, c'est un mythe errant.

– Georges Marchais, au temps où il secondait Jacques Duclos, alors secrétaire général du Parti communiste, désirait refondre l'organisation et les structures de celui-ci afin d'en améliorer les scores électoraux.
En quels termes s'ouvrit-il à son supérieur ?

Les voici : « La métamorphose, Duclos porte. »

– Lorsque l'éditorialiste Dominique Jamet se prononça en faveur de l'élection de Kermit, nombre d'électeurs allèrent se reposer dans une région du Sud-Ouest ; pourriez-vous expliquer cette curieuse migration ?

Oui : mieux vaut Tarn que Jamet.

– Les journalistes parisiens font la pluie et le beau temps en politique. Quel est celui d'entre eux le plus porté sur la bouteille ?

Philippe Tesson.

– Et connaissez-vous l'endroit où le « centriste » Jean-François Kahn désire être enterré ?

Oui, à Marseille, puisqu'il y a la Kahn-bière.

– Est-il exact que Serge July ait connu nombre de conquêtes féminines dans sa jeunesse ?

Oui, July était Roméo.

– *Est-il avéré que Raymond Barre rêve d'un monde où tout le monde s'embrasse ?*

Oui, puisqu'on dit : « La tentation de Barre : bisons. »

– *Quel est le principal loisir de Raymond Barre ?*

Le jardinage, puisque Barre y'tond.

– *Si vous faites une partie de tennis avec Raymond Barre et François Léotard, quelle est la réaction du premier lorsque le second accroche le filet avec sa balle ?*

Barre biche quand Léotard te let.

– *Quel est le ministère rêvé pour Albin Chalandon – dont on sait qu'il a travaillé dans le secteur pétrolier ?*

Garde d'Esso.

– Pourquoi a-t-on comparé Jean-Marie Le Pen à un ecclésiastique sot et coureur de jupons ?

Parce que c'est l'abbé bête qui monte.

– Est-il exact qu'une de ses filles professe à l'égard des immigrés une attitude de rapprochement ?

Oui, elle lui dit : « Le beur, père, sied. »

– La rumeur prétend que l'ex-femme de cet « homme politique » vit à présent avec un ancien ami de ce dernier. Qu'en pensez-vous ?

C'est indubitable puisqu'on dit : « Pierrette et le pote au laid. »

– On comprend, dans ces conditions, que ce mari déçu hésite à convoler encore.

En effet ; à chaque jour suffit sa Pen.

Sport

Un homme complet (de vache), aussi intelligent et cultivé soit-il, ne saurait se suffire d'être un pur esprit ; « travailler son corps, c'est cultiver son âme » dit le poète, et nous lui donnons raison. Mais au fait (foraine), avec toutes ses règles et ses disciplines (le Jeune), le sport est-il une fille facile à sauter (au citron) ? Non et c'est la raison même de ce chapitre.

– *Que peut-on dire d'un chasseur à l'affût qui tombe dans un étang et se retrouve quasi nu ?*

Il ne lui reste que l'appeau et les eaux.

– Les adeptes du tir à l'arc peuvent-ils rester longtemps sans pratiquer leur sport ?

Non ; ils sont trop sans cible.

– Est-il raisonnable d'embarquer une équipière en régate ?

Non, car sous le vent femme varie.

– En cas de kidnapping de pur-sang de course, qui appeler ?

Pouliche secours.

– Pourquoi les jockeys bien dans leur peau choisissent-ils des nains comme garçons d'écurie ?

Parce que le bas lad des gens heureux.

– Est-il exact que l'Eglise catholique possède un des premiers haras de chevaux de course ?

Oui, les curies du Vatican.

– La pratique du cheval est-elle réservée aux maigres ?

Non, c'est tout le contraire : les chevaux détestent les peu ronds.

– Les coureurs cyclistes sont-ils de grands poètes ?

Oui, car ils espèrent avoir les mollets plus doux.

– Partagent-ils le point de vue laïque en matière d'éducation ?

Non, ils militent pour les cols libres.

– Pourquoi la plupart des anciens coureurs se reconvertissent-ils dans le petit commerce ?

Pour avoir pignon sur roues.

– Que penser d'un match de tennis disputé en deux sets sous la canicule ?

C'est une paire de chauds sets.

– *Est-il exact que jusqu'à une période récente, tous les champions de tennis étaient homosexuels ?*

Oui, ils utilisaient des petits tamis.

– *Pourquoi les matches Becker-Noah engendrent-ils l'ennui ?*

Parce que c'est la berceuse Black et Becker.

– *A votre avis, Henri Leconte est-il natif du Nord de la France ou d'une ville autrichienne ?*

On ne sait pas : c'est soit Leconte de Lille, soit Leconte Harbourg.

– *Lorsque ce tennisman – comme c'est hélas fréquent – rate un match par lymphatisme, que peut-on dire ?*

Ceci : « Leconte a dormi debout. »

– *Quel est le joueur le plus secret ?*

Pat cache.

– *Aimez-vous voir jouer Yannick Noah ?*

Certainement pas ; il nous les casse, Noah.

– *Ce n'est pas l'avis des officiels qui l'ont récemment anobli ; au fait, connaissez-vous son nouveau patronyme ?*

Oui : Noah de Coco.

– *Que dire d'Ivan Lendl qui remporte victoire sur victoire, mais dont les paroles sentent le fiel ?*

C'est un champion vénéneux.

– *Au tennis, doit-on se dépasser ?*

Oui, qui peine, force.

– *Et quelle joueuse se dévoue aux thèses de l'écologie ?*

Chris est verte.

– La plupart des patineuses à glace restent célibataires durant leur carrière officielle. En voyez-vous la raison ?

Bien entendu : on ne patine pas avec l'amour.

– On a beaucoup prétendu que ce que proposait Jean-Claude Killy pour l'organisation des Jeux olympiques d'hiver en Savoie, notamment en ce qui concerne la qualité de la glisse, n'avait qu'un lointain rapport avec l'idée noble de ce que véhicule ce sport. Pourriez-vous l'expliquer ?

Oui : les neiges de Killy mangent Art Haut.

– Dans une compétition de camions, les candidats se résignent-ils au fatalisme ?

C'est inévitable puisque autant en emporte le van.

– Pourquoi Alain Prost va-t-il soigner ses muscles faciaux dans une certaine ville du Nord ?

Parce que Caen sert Prost à tics.

– Dans le même ordre d'idées, broder au fil n'est-ce pas dangereux, si le matériel ne répond pas au doigt et à l'œil ?

Si, il faut dompter l'écheveau sauvage.

– Pourquoi, autour d'une certaine région montagneuse italienne, s'avère-t-il délicat, voire risqué, de pratiquer le football ?

Parce qu'on se méfie des coups de pied dans les Pouilles.

– Lorsqu'un gardien de but reçoit le ballon en plein visage, la partie est-elle suspendue ?

Oui, car il y a gêne et râle de goal.

Culture

A l'homme bien né, les nourritures terrestres importent peu. Apprendre, savoir, goûter (à la menthe), telles sont les mamelles de son existence. Hélas, qui peut se prévaloir (et Cher) des connaissances d'un Pic de La Mirandole ou d'un Descartes (à jouer) ? Grâce à ce chapitre, toutes les facettes des arts vous livreront leurs secrets.

Littérature

Depuis l'aube de l'humanité, l'homme a cherché à conserver et à rendre immortelle sa pensée. Qui mieux que Gutenberg pouvait concrétiser cette aspiration (de survie) ? Un rapide panorama de l'histoire littéraire française vous est à présent dispensé (de Pascal).

– Lorsqu'on évoque la figure de Victor Hugo, on ne peut s'empêcher de penser à Adèle « H »... La malheureuse trépassa-t-elle, ainsi que d'aucuns le chuchotent, à la suite d'un étouffement provoqué par une rondelle de saucisson ?

Hélas oui, c'est ainsi qu'elle est morte, Adèle.

– Puisque nous parlons de Victor Hugo, abordons la poésie : Pensez-vous que les poètes soient de grands incompris ?

Oui, car ils aiment en vers et contre tous.

– En tout cas, ce sont des paresseux.

En effet, car lorsqu'un poète travaille, il perd ses vers.

– Sur quels vers célèbres de Lamartine se base-t-on pour affirmer que ce dernier détestait les insectes ?

Sur celui-ci : « Oh taon, suspends ton vol. »

– Quel était le sport préféré du poète Jean Cocteau ?

Le base-ball : il en fit même un film : « La balle et la batte ».

– Pourquoi le grand Homère faisait-il le commerce des fourrures et des cuirs ?

Parce que les peaux paient.

– Que pourrait-on dire à un médiocre poète qui vient de commettre une longue et indigeste ode ?

C'est de l'art ? ou pis : deux cents sonnets !

– On pense que le fameux duel entre Don Diègue et Rodrigue se déroula dans le département des Hauts-de-Seine – du moins selon les vœux du tragédien Racine. En trouvez-vous confirmation dans ses vers ?

Oui, car le Cid déclare : « A quatre pas d'Issy je te le fais savoir. »

– Ce Cid n'était-il pas un peu obtus ?

Si, un vrai Cid bouché.

– « Blanche-Neige et les sept nains » est un des contes pour enfants les plus captivants et mérite une étude circonstanciée. Pensez-vous que Blanche-Neige avait de saines fréquentations ?

Non, son prince sarment était un vignoble personnage.

– Ne pourrait-on espérer que ce monsieur se départisse de ses habitudes fâcheuses au contact de la Belle endormie ?

Cela nous étonnerait : chassez le naturel, il revient au goulot.

– *En résumé, ce merveilleux conte s'avère être une simple affaire commerciale ?*

Oui, encore une histoire de gros saouls.

– *Qui a écrit « Les mémoires d'un âne » ?*

Alphonse Baudet.

– *Quelle était la créature mythique qui fascinait Zola ?*

Il appréciait la Gorgone, Zola.

– *En tout cas, ce Zola possédait une personnalité à multiples facettes ?*

En effet, puisque l'on parle toujours des mille Zola.

– Dans le roman de Mary Shelley, Frankeinstein se plaint sans cesse de maux de tête ; en voyez-vous la raison ?

Oui, les vis serrent.

– Vous connaissez sûrement la devise du comte Dracula ?

Oui : « Boire un petit cou c'est agréable. »

– Pourquoi les grands écrivains n'utilisent-ils pas la machine à écrire ?

Parce qu'ils ont un style haut habile.

– Selon vous, les agrégés deviennent-ils naturellement portés sur la boisson ?

Bien sûr, puisqu'ils sont tous unis vers Cythère.

– *L'œuvre de Jean-Paul Sartre paraît assez conséquente pour mériter quelques éclaircissements. Que penser de ses premiers écrits, très différents de ses pages ultérieures ?*

A cette époque, l'âne osait.

– *Est-il exact que l'écrivain déclinait toutes les invitations à dîner ?*

Oui, puisqu'il écrivit même « l'enfer, c'est les hôtes ».

– *En tout cas, selon lui, il fallait un bon éclairage pour rédiger sa correspondance.*

En effet, d'où son livre « Lettre et le néon ».

– *Alphonse Karr, injustement oublié, possédait un esprit novateur et persifleur ; le saviez-vous ?*

Oui, puisqu'on dit : le Karr avance et raille.

– *Saviez-vous que H. G. Wells fut le premier à consacrer une biographie au mystérieux Attila ?*

En effet, c'est grâce à cet ouvrage qu'on a pu rendre les exploits de l'homme Hun visibles.

– *Citez un dramaturge russe comique*

Gogol, incontestablement, puisqu'on dit : « Qu'est-ce qu'on rit, Gogol. »

– *Quel rapide dialogue peut-on imaginer entre un philosophe et son épouse, alors que ce dernier part en voyage ?*

Elle : « Tu pars jusqu'à Kant ? »
Lui : « Ça dépend du trajet, passe-moi Descartes. »

– *Dans l'œuvre immortelle d'Hergé* (Tintin), *quel personnage vous paraît le plus apte à jardiner ?*

Le professeur Tourne-Sol.

– Et, selon vous, quel compagnon de Tintin possède son brevet de nageur ?

Le capitaine Haddock, puisqu'il est toujours saoulot.

– Quelle était la devise de Freud ?

A Vienne que pourra.

– On a beau dire, on revient toujours aux œuvres glorieuses du passé, notamment de l'Antiquité. Attardons-nous un instant sur ce sujet. Dans les grands drames grecs, l'héroïne ne parle quasiment pas ; citez un cas célèbre.

Facile : l'Electre aphone.

– Quelle était la phrase clé mise dans le bouche d'Hélène ?

Celle-ci : « Quand y'en a pour Zeus, y'en a pour Troie. »

– Dans « A la recherche du temps perdu », lors d'un goûter mondain, Valmont demande au duc si celui-ci préfère son épouse à sa maîtresse en titre, Anne. Vous souvenez-vous de la formulation exacte de Valmont ?

Bien entendu : « Duc au thé, Duchesse ou Anne ? »

– Que doit-on répondre à un imposteur qui se fait passer pour Nick Carter et qui prétend que les arbres poussaient jadis au fond des ravins ?

Ceci : « Les chênes se terraient haut, faux Nick. »

– Lorsque Sherlock Holmes tomba un jour amoureux d'une terrible Messaline, il ne songea plus à quitter le lit où l'attendait sa mante. Son assistant infortuné n'eut plus qu'à déambuler au hasard des rues. Mais au fait : en quels termes Sherlock Holmes éconduisit-il son dévoué docteur ?

Les voici : « Elle aimante ; erre ! mon cher ouate sonne. »

– *Pourquoi l'incontinent, plus qu'un autre, entretient-il des rapports privilégiés avec les Belles-Lettres ?*

Parce que qui pisse en lit parle à Racine.

– *Roland Barthes était-il un maniaque de la propreté ?*

Oui, car il traquait les mites au logis.

– *Le père d'Hervé Bazin était-il un modèle d'équilibre ?*

Oui, car Bazin vit père au point.

– *Pourquoi Nicole Avril ne fait-elle jamais l'amour avec des hommes nus ?*

Parce qu'en Avril, ne te découvre pas d'un fil.

– *Pourquoi le bagarreur Jean Hedern-Hallier suremploie-t-il les mots composés ?*

Parce qu'il raffole des attraits du gnon.

Grammaire, syntaxe

Il faut savoir maîtriser son discours (de récréation). Du bon usage de la langue surgit l'art (fumé).

Quelques précisions ne nuiront donc pas (dans la neige).

– *Pourquoi doit-on écrire « le » ou « la » ainsi : « e » ou « a » ?*

Parce que le pronom perd son « l ».

– *L'ordre ou la place des adjectifs par rapport aux noms ont-ils la moindre importance ?*

Non, aucune, par exemple : c'est beau nez blanc et blanc beau nez.

– Pourquoi les linguistes – qui soulignent toutes les déviations de prononciation – sont-ils d'extrême droite ?

Parce qu'ils répètent sans cesse : « Les étranges é dehors ! »

– Lorsqu'on se pique d'étudier les sons, le langage, doit-on posséder des connaissances en zoologie et être nerveux ?

Oui, car c'est la faune et tics.

Musique

On dit de la musique que c'est l'art qui flatte l'âme (de rasoir). En effet, lorsqu'on entend des mélopées, on ne peut que se surprendre à rêver. Entrons dans le monde des dièses et des bémols (de foin).

– Comment définir un opéra ?

C'est drame à tics.

– *Pourquoi les employés du compositeur Verdi touchaient-ils double salaire ?*

Parce qu'un homme à Verdi en vaut deux.

– *Quel était le fromage préféré de Wagner ?*

La Vache qui rit, d'où son œuvre : « La Chevauchée des vaches qui rient ».

– *Est-il exact que Frantz Liszt n'était pas, comme on le prétend, pianiste ?*

En effet, le violon, c'est Liszt.

– *Pourquoi le fils quelque peu retardé de l'ascète Frantz Liszt aimait-il les chemins de fer ?*

Parce que c'était l'hagard d'austère Liszt.

– Citez un opéra qui traite du douloureux sujet de la mévente dans le petit commerce qui eut lieu en 1895 ?

Triste an, et y'soldent.

– De nos jours, les instruments à percussion sont remplacés par des ordinateurs et des boîtes à rythme, ce qui met au chômage la plupart des Africains spécialisés dans ces instruments. Trouvez-vous cela normal ?

Non ; la batterie est en danger, aussi, lançons-nous un appel : « Allons enfants de la batterie, le jour des Noirs est arrivé ! »

Peinture

Séduire l'œil est noble tâche (de vin). Des grottes de Lascaux (cote minute) aux derniers essais new-yorkais (des brumes), l'homme ose, tente, cherche. Hélas, il n'est point toujours aisé de discerner juste. Aussi, sommes-nous modestement là pour aider nos lecteurs.

– *De quel genre pictural procède la Joconde de Léonard de Vinci ?*

C'est figure à tifs.

– *On a beaucoup reproché à Paul Cézanne le côté conformiste et quelque peu routinier de son œuvre. En quels termes ses amis l'apostrophaient-ils à ce sujet ?*

Les voici : « Cézanne, ouvre-toi. »

– *Doit-on se féliciter de la multiplication actuelle des galeries de peinture ?*

Bien sûr, puisque le nouvel art en sort.

– *Pourquoi Toulouse-Lautrec était-il invité à toutes les soirées ?*

Parce que c'était un nain qu'on prie.

– Les musées officiels ne vous semblent-ils pas manquer d'audace et s'enfoncer peu à peu dans le troisième âge ?

Hélas oui, car ils sont placés sous l'auspice des vieils arts.

– Du reste, les gens laids sont souvent des adversaires résolus de la culture picturale...

En effet, les laids tuent et lèsent et pinent art.

– Pendant tout un temps, Pablo Picasso dut subir les récriminations et les coups de rouleau à pâtisserie de son épouse acariâtre ; comment nomme-t-on cette maussade partie de son existence ?

La période « bleus ».

– Le peintre Boudin abandonna dès son plus jeune âge la technique de décoration sur tissu qu'on lui avait enseignée ; en voyez-vous la raison ?

Oui, il avait lavis devant soie.

Géographie

Il est dit que nos compatriotes (du Père Noël) n'apprécient pas la géographie ; si tel est le cas, ce présent chapitre se justifie amplement et doit être lu.

Dans un but de simplification que l'on comprendra (de satin), les nations sont examinées une par une, à la loupe...

France

– Pourquoi, dans certain port breton, assiste-t-on au triste spectacle d'équipages pris de boisson, sans trousseau et à la dérive ?

Parce que dans la rade de Cherbourg, les saouls marins, nu-clefs, errent.

– *Est-il exact que Limoges soit un centre maritime connu ?*

Tout le monde a entendu parler des ports célèbres de Limoges.

– *La ville de Lens reste un des derniers bastions de la sidérurgie ; selon vous, existe-t-il une raison géologique à ce fait ?*

Oui, le fameux fer de Lens.

– *Quelle est la plus grande ville corse ?*

Orange, là où il y a les Corses.

– *Quelle est la ville la plus gourmande ?*

Aubusson. Qui n'a entendu parler des magnifiques pâtisseries d'Aubusson ?

– Si vous vous arrêtez à Denvers, irez-vous jusqu'à caresser les chiens dans la rue ?

En aucun cas, je me suis toujours méfié des cabots de Denvers.

– Quelle est la ville qui compte le plus d'homosexuels ?

Ville-d'Avray. Chacun connaît en effet les tantes de Ville-d'Avray.

– Comment le Midi de la France a-t-il pu se reboiser aussi vite après tous les incendies qu'il a connus ?

Grâce à la multiplication des pins.

– Quelle est la seule artère parisienne qui nous rappelle les bayous de nos lointains cousins acadiens ?

Le boulevard des marais chauds.

– Pourquoi doit-on, au moins une fois dans sa vie, naviguer sur le fleuve français qui coupe la France en deux ?

Parce que nul n'est censé ignorer la Loire.

– *La principale production des Antilles françaises est-elle exportée en Italie ?*

Non, car : « Rhum, unique objet de mon ressentiment... »

– *Pourquoi les édiles de Lyon désirent-ils abandonner l'usage des transports en commun en surface ?*

Parce que c'est trop laid, bus.

Suisse

– *Ce magnifique pays peut-il être considéré comme le phare de l'intelligentsia européenne ?*

Non, il ne faudrait tout de même pas prendre l'Helvétie pour des lanternes.

– En êtes-vous certain ?

Tout à fait ; Genève rien à ajouter.

Italie

– Pourquoi les Italiens du Nord sont-ils toujours enrhumés ?

Parce qu'ils ont les Pouilles au vent.

– Quelle est la ville d'Italie la plus drôle à visiter ?

Venise, car on s'y gondole...

– Est-il exact que l'on trouve beaucoup de chiens dans cette cité lacustre ?

Oui, puisqu'on dit : Venise, cité des dogues.

– *Pourquoi la patrie de Cervantes est-elle considérée comme un véritable réservoir à filles faciles ?*

Parce que les chattes osent en Espagne.

– *Quelle est la ville qui s'est spécialisée dans l'apiculture ?*

Cadix, puisqu'il y a l'abeille de Cadix.

– *En tout cas, dans cette région où la brise souffle en permanence, les jardins sont bien entretenus.*

Exact : les vents taillent.

– *Que dit le matador en entrant dans un débit de boissons ?*

Ceci : « Un café, olé ! »

Grèce

– Si l'on aime les digestifs de qualité, il faut visiter ce pays, n'est-ce pas ?

Tout à fait d'accord, puisqu'on dit : Grèce, pays des hauts-marcs.

– En tout cas, si l'on utilise une voiture, il n'est pas question d'exiger d'un garagiste local qu'il répare sur-le-champ en cas d'accident.

Effectivement, et en attendant les calandres grecques, il faut jouer à l'idiot du virage.

Union soviétique Pays de l'Est

– Pourquoi les instituteurs soviétiques ne connaissent-ils pas de problèmes avec leurs élèves ?

Parce que les classes dirigeantes, c'est fini.

– *L'Union soviétique connaît-elle des cas déclarés de sida ?*

Bien entendu, car là-bas c'est pas les vits russes qui manquent.

– *Est-il exact que les dignitaires moscovites n'arrêtent pas leurs véhicules pour aider les malheureux à pied qui tendent le pouce ?*

En effet, mais cela se comprend, car ceux qui font de l'auto-steppe ont des têtes d'icones.

– *Pourquoi la Yougoslavie est-elle si peuplée ?*

Parce qu'il y a du monde aux Balkans.

– *Nous recommandez-vous de visiter la capitale de la Bulgarie ?*

Non, j'ai trop entendu parler des malheurs de Sofia.

Allemagne

– *Pourquoi les partisans des sciences occultes visitent-ils ce pays ?*

Pour voir Berlin l'enchanteur.

– *Peut-on se désaltérer au robinet dans la patrie de Goethe ?*

Non, l'eau triche.

– *Recommanderiez-vous aux jeunes de se rendre dans la capitale de la R.F.A. ?*

Absolument, puisqu'on dit : la Bonn d'enfants.

– *Selon vous, pour découvrir Berlin-Est, faut-il montrer qu'on est un homme d'au moins quarante ans ?*

En effet, il faut faire le mûr.

– *Pourriez-vous compter jusqu'à trois en allemand ?*

Bien sûr : un, deutsch, trois.

– Pourquoi ces régions ont-elles toujours attiré les intellectuels ?

Parce qu'ils y pratiquent la philosophie dans le bout douar.

– Y a-t-il pénurie de lait en Tunisie ?

Jamais, car l'arabe se trait.

– Doit-on jeter la pierre aux Marocains qui interrompent leur repas à tout bout de champ pour se rendre aux toilettes ?

Non, car ils adorent manger épicé.

– En Algérie, la construction d'avancées architecturales sur les façades des maisons est-elle encouragée ?

Non, car à vaincre sans péristyle, on triomphe sans douar.

– A votre avis, les Berbères sont-ils de nature gaie ?

Absolument : ils ont toujours le chameau pour rire.

– Et sont-ils des artisans doués ?

Oui, ils sont khabiles de leurs mains.

– Pour conclure ce portrait, pouvez-vous expliquer pourquoi ces nomades connaissent des problèmes de poids ?

Bien sûr, ils sont trop portés sur les déserts.

Afrique Noire

– Les habitantes de la Nouvelle-Guinée sont-elles jolies ?

Non, elles sont papoues belles qu'une autre.

– Les cannibales d'Afrique du Sud vous paraissent-ils plutôt traditionalistes ?

Oui, à Noël, par exemple, ils mangent le bout d'un Blanc.

– Lorsque les cannibales dévorent un dignitaire arabe, quelle recette appliquent-t-ils ?

Le carnée de cheik.

– Les mangeurs d'hommes apprécient-ils le canal olfactif ?

Non, gare au nez grillé !

– Dans ces pays chauds, doit-on se débarrasser des insectes qui s'accrochent à nos cheveux ?

Nous le déconseillons : les poux ventent.

– Qui est le parrain de l'industrie sidérurgique éthiopienne ?

Haïlé c'est l'acier.

– Faut-il porter des lunettes dans certaines régions d'Afrique ?

Oui, parfois on Ivoirien.

Moyen-Orient

– Les habitantes du Caire doivent-elles, selon vous, se protéger du soleil violent d'Egypte ?

C'est indispensable, sinon les Cairotes seraient cuites.

– Les poissons plats d'Israël sont réputés pour leur manque d'instinct de survie, d'où la ruée des pêcheurs du monde entier. Pourriez-vous expliciter ce fait en termes plus clairs ?

Oui : c'est ce qui s'appelle chercher un lot de con-soles à Sion.

– Les bruits nauséeux, commis à tout bout de champ par un émir, sont-ils excusables ?

Non, ce sont des pets trop liés.

– Pourquoi les Juifs, en utilisant le dais (pièce de tissu tendue au-dessus des fidèles), donnent-ils en quelque sorte un chèque en blanc aux Russes ?

Parce que c'est un grand « da », dais.

– Le nouveau régime iranien encourage-t-il la possession d'animaux domestiques ?

Non, ils ont chassé les shahs et les siens.

Amérique du Sud

– Quel est le lac le plus pollué d'Amérique du Sud ?

Le lac Pipi-caca.

– Quelle est la seule métropole sud-américaine à posséder un moyen de transport en commun amphibie ?

Rio et son car-naval.

– Que dire du chef de la ville de Popoh Whul ?

C'est Inca.

– Pourquoi les avions de ligne uruguayens refusent-ils de transporter des passagers ?

Pour monter vide et haut.

– Comment surnomme-t-on le phénomène acoustique qui se produit au Pérou ?

L'écho Lima son.

Asie

– Quel est le plat national vietnamien ?

La tarte opium.

– Que vous suggère, comme commentaire, le mont Everest ?

Ça Népalais.

– En Chine, il est d'usage que le débiteur rembourse ses créances avec des paquets de riz. Payer en pièces sonnantes et trébuchantes constitue d'ailleurs une offense, que celui qui l'a commise paie de diarrhées intestinales. Le saviez-vous ?

Oui, puisqu'on dit : « Qui paie ses dettes sans riz chie. »

– Comme vous le savez, l'Inde jouxte l'Asie. Approuvez-vous la conduite des habitants de New Delhi, qui se croient tout permis ?

Absolument pas, avec eux tout est indou.

Pôles Nord et Sud

– Quelle région des pôles détient le record de criminalité ?

Le terre à délits.

– Intéressons-nous au peuple de Laponie. Les jeunes adolescents connaissent-ils là-bas des problèmes d'acné ?

Non, car Lapon peau nette.

– Quel est le dessert préféré des Lapons ?

Les esquimaux.

– Le mâle lapon est-il romantique ?

Oui, Lapon dit chérie.

– Est-il bien vu d'être lymphatique ?

Non, ils chassent les lents.

– Est-ce un peuple réservé ?

Oui, avant de leur parler, il faut rompre la glace.

– Pour finir, confirmez-vous que les chasseurs de Laponie traquent le gibier à poils aux seules fins de récupérer les sabots des élans et de les fixer au sol ?

Absolument : Lapon pied de cerf visse.

– Pourquoi les natifs d'outre-Atlantique s'obstinent-ils à s'habiller mal et à prêcher le pessimisme ?

Parce que ce sont des amères loques.

– Quel est le lac américain le plus fréquenté par les souteneurs ?

Le pote aux macs.

– A Rhodes-Island (Etat de New York), on élève une race de chiens féroces que nous vous demandons de nommer.

Facile : le molosse de Rhodes.

– Quel est le plat national haïtien ?

Le veau doux.

Ecosse

– Pour finir, nous aimerions que vous donniez à nos lecteurs des précisions sur le fameux monstre du Loch Ness.

En voici : il a dos fin, il est assez tassé, il a bas l'aine, il se cache à l'eau ; il apprécie la poulpe de fruit et espère que les dépendances du château qui surplombe le lac ne seront pas des truites. Sa chanson préférée est : « Oh sole mio » et il a récolté plusieurs limandes pour excès de vitesse. Son rêve est d'aller au car-narval de Rio ; enfin, il espère qu'il ne finira pas la tête sur le cabillaud. Pour finir, nous lui souhaitons bonne tanche, en espérant qu'il ne viendra à personne l'idée de l'en-brochet.

Histoire

Grâce à la science du calembour, la plupart des mystères encore inexpliqués de l'humanité sont mis à nu. C'est dire l'importance des lignes qui suivent. Elles constituent à n'en pas douter (un ou deux sucres ?) un nouveau défi de la pensée contemporaine (d'un jour).

Deuxième Guerre mondiale

Beaucoup de non-dits et de brumes sur cette douloureuse période. Voici, enfin, des éclaircissements.

– *Pourquoi les Allemands n'envahirent-ils pas la Suisse ?*

Parce qu'ils se contentèrent de menaces vers Bâle.

– *Est-il exact qu'il entrait dans les plans des SS de conquérir la Chine ?*

Oui, ils voulaient s'habiller en Asie.

– *Lorsque les Allemands arrivèrent à Paris, la population était-elle tenue de prêter main-forte aux envahisseurs ?*

Absolument, ou, dans le cas contraire, on pouvait être poursuivi pour non-assistance à personne en Panzer.

– *Pourquoi le fils de Rudolf Hess rapetisse-t-il ?*

Parce qu'il faut bien que jeune Hess se tasse.

– Quand les Américains débarquèrent en Normandie, ils eurent grand mal à prendre une certaine ville de la région. Comment cela se fait-il ?

Ils avaient Lisieux pour pleurer.

– Pourquoi les Allemands renoncèrent-ils à bombarder la ville de Coulommiers ?

Parce que : Coulommiers, Coulommiers, il en restera toujours quelque chose.

– Quelles étaient les deux lessives préférées d'Adolf Hitler ?

La Croix, Gamma.

– Les résistants consommaient-ils des toasts au petit déjeuner ?

Non, car ils se méfiaient de la mie lisse.

– Selon vous, les épouses des dignitaires nazis doivent-elles être brûlées ?

Oui, il faut donner une essence sous ces aryennes.

– On raconte que le mari de la fille de Klaus Barbie régla entièrement les frais de son procès ; accréditez-vous cette idée ?

Bien entendu, puisqu'on dit : « L'époux paie Barbie. »

– Pourquoi les apprenties comédiennes étaient-elles pro-allemandes sous l'Occupation ?

Parce que pour obtenir un rôle, il fallait décrocher un bout d'SS.

– Quel était le condiment préféré du dictateur allemand ?

Il aimait l'ail, Hitler.

– En dehors de l'Europe, la bataille faisait aussi rage entre le Japon et les Etats-Unis. On sait que cette guerre se termina de bien funeste manière avec la bombe d'Hiroshima. A la lumière de cet événement, croyez-vous à la dissuasion nucléaire ?

Oui, puisque l'épate à l'atome mate.

– Savez-vous à ce propos qu'une unité spéciale fut créée afin de recenser les victimes de la bombe ?

Bien entendu : c'était le service des Japonais absents.

Antiquité

Le Sphinx, les Pyramides, le Nil, autant d'éléments qui nous font rêver et dont on ne sait rien... L'occasion, donc, de lever le voile.

– Comment prévenait-on le Sphinx de l'arrivée d'une femme peu gâtée par la nature ?

Comme ceci : « Sphinx, voilà du boudin ! »

– *Est-il exact que les pharaons aient érigé les Pyramides pour tenter de combattre l'infécondité qui les frappait ?*

Oui, ils mettaient en scène leurs zobs secs.

– *Pourquoi organisait-on, à Delphes, des agapes, aux seules fins d'encourager l'Oracle ?*

Parce que la Pythie vient en mangeant.

– *Ces préditions donnaient-elles du courage ?*

Oui, puisque : Oracle ! oh, des espoirs !

– *Que déclara César lorsqu'il constata la célérité du chef d'armée égyptien à aller à la selle après qu'il l'eût vaincu ?*

Ceci : « Veine y' chie chie. »

Pourquoi a-t-on comparé un certain philosophe romain à un de nos chefs d'Etat du début du siècle ?

Parce que l'on dit : Cicéron c'est Poincaré.

– Est-il exact que le royaume d'Atlantide était habité par des poissons de rivière ?

En effet, puisqu'on dit : « L'Atlantide fut des truites. »

– Pourquoi l'antique dieu Râ reste-t-il le patron des lymphatiques ?

Parce que Râ vit au lit.

– Et le dieu Moloch, peut-on l'invoquer pour conseiller à quelqu'un de se calmer ?

Oui, puisqu'on dit : Vas-y Moloch.

Etats-Unis

L'histoire de l'Amérique draine moult chimères (porteuses). On comprendra dès lors l'urgence de cette présente notule (de la mariée).

– *La pédagogie des Indiens préfigure les thèses ouvrières du début de l'ère industrielle... Qu'en pensez-vous ?*

Nous sommes d'accord, car en guise d'école, les jeunes Indiens avaient la hutte des classes.

– *Lorsque Christophe Colomb découvrit les Amériques, se droguait-il ?*

Oui, car il était à la recherche d'éther...

– *Les Indiens étaient-ils heureux ?*

Oui, et vous, Comanche ça va ?

– Est-il possible de confondre deux Indiens entre eux ?

Non, un Sioux est un Sioux.

– Selon vous, le grand chef Sitting Bull pouvait-il être taxé d'avarice ?

Oui, il était près de ses Sioux.

– En tout cas, les gens généreux apprécient cette tribu.

En effet, puisque : « A votre bon cœur Sioux plaît. »

– Pourquoi, dans ces conditions, les Indiens achevaient-ils leurs captifs ?

Parce que l'Apache hait le prisonnier.

Russie

La Révolution d'Octobre préfigure nombre d'événements ultérieurs, il convient donc de disséquer ce pan de notre histoire mondiale.

– Selon vous, les anciens dirigeants de la Russie blanche restent-ils encore d'actualité ?

Evidemment : mieux vaut tzar que jamais.

– C'est possible, néanmoins, les soldats de l'Armée Rouge semblent être de joyeux drilles.

Pas étonnant : ils défilent au pas qu'a dansé.

– En outre, les Soviétiques d'aujourd'hui résistent fort bien à la torture... ?

Cela s'explique : ils préfèrent les cris à l'Oural.

– Remémorons-nous alors l'ancien temps : est-il exact que les cuisiniers du défunt tzar ne confectionnaient jamais leur dessert sans la présence de l'épouse de ce dernier, et que celle-ci ne les quittait pas du regard ?

Vous êtes bien informé. En effet, pour réussir un gâteau, il faut de la tzarine et des yeux.

Royaume-Uni

Ce bouillant voisin, avec qui nous jouons une partie de cache-cache depuis des siècles, doit être examiné avec bienveillance et sans ostentation.

– *De quoi est mort l'amiral Nelson ?*

D'une rupture de vaisseau.

– *La mère d'Henry VIII était-elle satisfaite de la conduite de son inconstant fils ?*

Non, il a fait beaucoup de brus pour rien.

– *Pourriez-vous nous donner quelques éclaircissements sur la guerre entre catholiques et protestants en Irlande ?*

Pourquoi n'ose-t-on pas, par exemple, procéder au bipartisme ou trouver une solution définitive quelconque ?

Parce que le fond de l'Eire effraie.

– *Alors ? négocier là-bas ferait-il du mal ?*

Non, ça ferait Dublin.

– *Si l'on vous comprend à demi-mot, les catholiques ont intérêt à réagir le plus vite possible ?*

Indubitablement. La fortune appartient à ceux qui se soulèvent tôt.

– *Que répondit Mme Thatcher au gouvernement argentin, après que ce dernier eut annexé par la force les îles Malouines, proches de leurs côtes ?*

Ceci : « C'est pas loin, mais c'est malouin. »

– *A propos, la « Dame de fer » vous paraît-elle si inflexible que cela ?*

Pas du tout puisqu'on dit : « La Thatcher est faible. »

– *Si le prince Charles divorce, aura-t-il des excuses ?*

Qui sait ? Il répondra probablement : « Je suis en congé de ma Lady. »

– *On ne peut que constater, en tout cas, que le futur roi est patient.*

En effet : Charles attend.

– *D'autant que son épouse n'est guère commode.*

Exact, puisqu'on dit : « Lady Di : commandement. »

JE SUIS EN CONGÉ
DE MA LADY !

Histoire contemporaine

Les années actuelles fourmillent d'anecdotes. Pourquoi ne pas en profiter ?

– Par quelle chanson gaillarde convient-il d'accueillir le souverain de Belgique ?

Par ce refrain : « Tiens, voilà du Baudouin. »

– A quel vice s'adonnait le dernier empereur de Chine ?

Pu-Yi fumait.

– Si le comédien Fernandel et Albert Einstein avaient eu un fils, comment l'auraient-ils nommé ?

Franck Einstein.

– Au fait, quel était le fromage préféré de ce savant ?

La tome.

– Pourquoi a-t-on comparé les anarchistes du début du siècle à des parricides ?

Parce qu'ils voulaient supprimer pairs et maires.

– Est-il exact que le chef de cette bande termina ses jours incognito dans une demeure provençale ?

Oui, car mas cache Bonnot.

– Pourquoi les victimes du mac-carthysme, aux Etats-Unis, prenaient-ils soin de parler de façon neutre ?

Parce qu'ils redoutaient l'accent sûr.

– Le philosophe Bachelard fut le premier à percer le mystère du chevalier d'Eon, dont on ignorait le sexe : en fait, deux personnes partageaient le même patronyme. Pourriez-vous préciser ce qui amena le célèbre penseur à cette conclusion ?

Oui, ceci : « Gaston, y'a le tel Eon qui sont. »

– Pourquoi Grace Kelly prenait-elle souvent la mouche ?

Parce qu'elle était appelée à Rainier.

– Comment expliquer que l'état-major du général Franco lui soit resté fidèle malgré le fait que ce dernier agonisa des mois durant sur son lit de mort ?

Par le culte de la personne alitée.

– De défunt despote aimait-il le jambon ?

Oui, il était franco de porc.

– Le monarque actuel se doit-il d'apprécier les corridas ?

Bien sûr : il n'est de roi sans l'arène.

– Pourquoi les combats, en Israël, restent-ils toujours à la limite du cordial ?

Parce que ça lutte à Sion distingué.

– Les Kanaques de Nouvelle-Calédonie souscrivent-ils à nos religions ?

Non, ils réclament le bout d'isthme.

– Que pensez-vous de la valse des journalistes et présentateurs qui eut lieu en 1981, lorsque les socialistes obtinrent le pouvoir ?

C'était pas très cathodique.

– Pourquoi les nostalgiques de 1968 prônent-ils le porc à chaque repas ?

Parce que l'art fut Mai.

– Si les communistes accèdent au gouvernement, les ménagères seront-elles contrariées ?

Non, elles ont l'habitude du Marchais.

– Le général de Gaulle se rendait-il à la messe par démagogie ?

Oui, lui-même affirmait : « Les Français sont dévôts. »

– Est-il vrai que le grand rêve d'Haïlé Sélassié aurait consisté à faire le clown dans un cirque ?

Oui, il était né Guss.

– On sait que le docteur Schweitzer fut particulièrement choqué, lorsqu'il découvrit la jungle, de ne point y trouver les files d'attente de nos grandes cités. Quelles furent ses paroles à ce moment ?

« T'es laid faune sans file. »

– Dans le même ordre d'idée, quelle phrase incantatoire prononçait Edison pour chasser de sa mémoire un cauchemard qui lui revenait sans cesse ?

« T'es laid, vision apprise, périt-elle ! »

– Pourquoi a-t-on prétendu que le gangster Al Capone, connu pour ses colères, avait exercé une certaine influence sur le climat de Chicago ?

Parce qu'on disait : « Il pleut dès qu'Al barde. »

– Pourquoi les intégristes pro-Khomeiny n'établissent-ils aucun distinguo entre les tenants de l'ancien régime et la religion antique égyptienne ?

Parce qu'à bon Shah, bon râ.

France : de la Gaule au Moyen Age

Le premier millénaire après Jésus-Christ a déterminé notre géographie comme notre histoire ultérieure : autant de raisons pour qu'on s'y arrête (de poisson).

– Lorsque Clovis brisa le vase de Soissons, contrevenait-il à la législation de façon grave ?

Non, son cas relevait du simple tribunal de pot lisse.

– *Comment les Gaulois nommaient-ils la grande prêtresse chargée de cueillir le gui, ainsi que de faire régner l'ordre ?*

Une druide aux amendes.

– *Pourquoi les Gaulois quittaient-ils précipitamment la table dès le repas achevé ?*

Parce qu'ils avaient peur que la vaisselle leur tombe sur la tête.

– *Pourquoi les Huns conservaient-ils la ligne ?*

Parce qu'ils étaient condamnés au régime sans selle.

– *Nous avons mieux compris nos ancêtres ; évoquons à présent le Moyen Age ; Godefroy de Bouillon était-il grand ?*

Non, il était court, Bouillon.

Il était court, bouillon.

– *Sait-on vers quelle date ont été introduits les ânes en France ?*

Oui, en l'hi-han de grâce 1100.

– *Les églises datant de cette époque valent-elles le déplacement ?*

Bof ! c'est pas la peine d'en faire un roman !

– *Comment a-t-on nommé ceux qui terminèrent sur un bûcher, dans une certaine commune non loin de Paris ?*

Les rôtis de Vaud.

– *Considérez-vous les chevaliers du Moyen Age comme les fondateurs de nos démocraties ?*

Absolument, car ils combattaient pour les droits de l'heaume.

– *Et ces mêmes chevaliers, appréciaient-ils de rester à la maison ?*

Oui, puisqu'ils disaient : heaume, sweet heaume.

– *Que pouvait répondre le seigneur à son écuyer hâbleur qui se targuait de rivaliser d'élégance avec lui ?*

Ceci : « L'épate ? attends, sale lad ! »

– *Ceux qui prétendent que Jeanne d'Arc n'a jamais commis d'acte de chair ont-ils raison ?*

Certainement pas : elle est morte en sainte.

– *Est-il exact que le plus long conflit du Moyen Age fut déclenché à la suite de vol d'une figurine de Noël ?*

En effet, c'était la guerre de santon.

– *Lorsque les Maures furent défaits à Poitiers, pourquoi le chef de nos troupes se tenait-il à l'arrière ?*

Parce qu'il ne faut pas se mettre Charles Martel en tête.

Jeanne d'Arc est morte en sainte.

Du Moyen Age à la Révolution française

– Une période charnière de notre histoire... *Les seigneurs – non assujettis à l'impôt –, vous semblent-ils, avec le recul, mériter leur réputation ?*

Non, ils n'étaient pas de taille.

– *Louis XI, connu pour être avare de mots, peut-il, comme certains l'affirment, avoir été fils d'Ismaël ?*

Absolument, c'était un sire concis.

– *Pourquoi Guillaume Tell se garda-t-il de renouveler son exploit (la pomme transpercée, deux jours après qu'il l'eut accompli, un vendredi).*

Parce que Tell qui rit vendredi, dimanche pleurera.

Surcouf s'opposait à prolonger ses ébats amoureux, en voyez-vous la raison ?

Oui, son corps sert aux pires hâtes.

– Nul ne sait pourquoi Louis XIV fit emprisonner le Masque de Fer. Pourriez-vous nous l'expliquer ?

Bien entendu. Le monarque s'opposait aux projets que le Masque de Fer forgeait.

– Les cathédrales construites pendant cette période vous paraissent-elles distinguées ?

Non, c'est de l'art gothique.

– Est-il exact que les serviteurs de Louis XIII s'astreignaient à un strict régime diététique ?

En effet, il ne devait être guère épais, l'étroit mousquetaire.

Il n'est guère épais,
l'étroit mousquetaire.

– Pourquoi comparait-on la favorite du roi à un animal chassé par les paysans ?

Parce que c'était une muse à règne.

– La capitale du pays champenois reste l'œuvre de nos rois de France. Cette affirmation tourne-t-elle rond pour vous ?

Oui, ce sont nos sires qu'ont fait Reims.

De la Révolution française au Bonapartisme

On peut, sans craindre de se tromper (de nonne) affirmer que nous abordons là une période cruciale de notre passé.

– Contrairement aux thèses en vogue, on affirme que Louis XVI n'a pas été guillotiné. Avait-il obtenu une grâce ?

En effet, il a eu un billot de complaisance.

– De toute manière, les royalistes ne reconnaissent pas la justice révolutionnaire...

Absolument, ils combattaient l'arrêt public.

– On sait que l'assassinat de Marat a marqué le début d'une longue suite d'homicides parmi les acteurs de la Révolution ; ceci nous amène à écrire que la femme qui arma le bras du destin préfigurait, en quelque sorte, les développements futurs des événements. Qu'en pensez-vous ?

Entièrement d'accord : elle était première, de Corday.

– Evoquons à présent la haute figure de l'empereur Bonaparte. Est-il exact qu'il se soit converti à l'Islam sur la fin de sa vie ?

Oui, puisqu'on dit : Napoléon est maure à Saint-Hélène.

– Le général Lannes refusait toujours de passer à gué les cours d'eau, pouvez-vous expliquer ce petit mystère de l'histoire ?

Bien sûr : Lannes hait le ruisseau.

– Et pourquoi, plus tard, le général Bugeaud arborait-il une casquette en quelques circonstances ?

Parce qu'il avait fait raser Sétif.

Comportement, psychologie, sociologie, psychanalyse

La psychologie comportementale, tout comme la sociologie, expliquent mieux qu'aucune autre technique le pourquoi et le comment de nos attitudes. C'est une véritable révolution (du bois) que de savoir enfin ce qui nous pousse à commettre des actes d'apparence incongrue (de chantier).

– *Pourquoi les femmes sont-elles bricoleuses ?*

Parce qu'elles apprécient les bouts longs.

– Si l'on aperçoit un natif d'Afrique Noire en train de prendre des mesures et que celui-ci soit particulièrement bien élevé, doit-on, pour ne pas gaspiller d'argent, lui confisquer son outil gradué ?

Oui, puisque prendre le mètre au poli teint est économique.

– Et à propos, doit-on respecter les vieilles coutumes ?

Non, car ce sont des us âgés.

– Quel est l'animal préféré des crêpes ?

Le fox à poêles dures.

– Pourquoi certains solistes de nos orchestres symphoniques sont-ils des repris de justice ?

Parce qu'ils passent leur vie au violon.

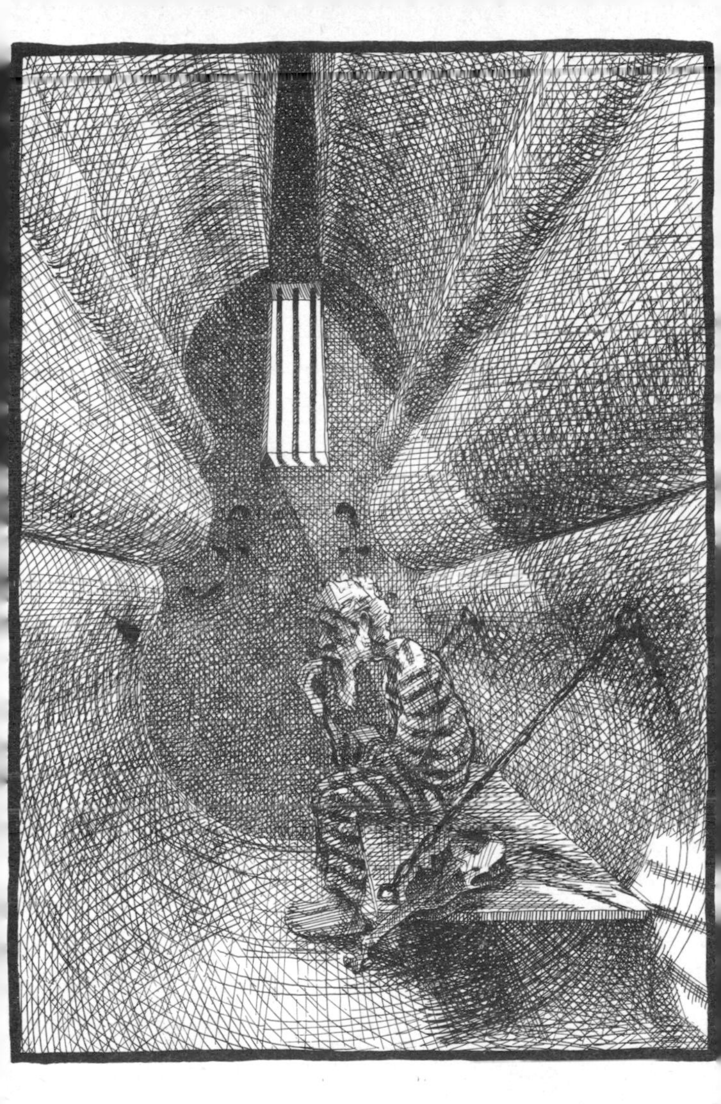

– Citez le seul proverbe anglais qui traite de psychanalyse.

Many grey go are.

– Pourquoi les pilotes d'avions sont-ils futiles et inconstants ?

Parce que ce sont des gars de jet.

– Pourquoi murmure-t-on qu'un directeur d'études, au lycée, est bien souvent affligé de tendances efféminées ?

Parce qu'on dit : Je vais vous envoyer la censeur.

– L'hypocondriaque est souvent comparé à un vase de dernière catégorie. Pourquoi ?

Parce qu'il est sous-pot-laid.

– Est-il exact que les habitants du Jura vont jusqu'à traiter d'un nom d'animal un certain psychanalyste parisien ?

Oui, ils disent : Lacan, coyotte.

– Les garagistes sont-ils des arrivistes ?

Oui, car avec eux, tous les moyeux sont bons pour plaire aux jantes.

– Lorsque quelqu'un ment, pourquoi les personnes négligées sont-elles les premières à le croire ?

Parce que seuls les sales s'y fient.

– Pourquoi les clochards ne veulent-ils jamais écouter les enregistrements d'Al Jarreau ?

Parce que l'hère nie disques Al.

– Pourquoi les psychiatres assurent-ils qu'un homme au pantalon mal repassé n'est pas sorti de l'enfance ?

Parce qu'il porte une panne au pli.

– Et pourquoi ces mêmes psychiatres prétendent-ils qu'une libido peu développée conduit les femmes au désarroi et au désemparement ?

Parce que les frigides errent, et les cons gèlent à c't'heure.

– Comment nomme-t-on un adolescent chahuteur à la campagne ?

L'idiot du vil âge.

– Pourquoi les coquettes recherchent-elles la compagnie d'hommes âgés ?

Parce qu'elles ne peuvent se passer de leurs faux cils.

– Pourquoi dit-on d'un homme qui veille sur sa femme malade, qu'il mène une vie de patachon ?

Parce qu'il passe ses nuits au bord d'elle.

– Quel proverbe anglais explicite clairement les artifices utilisés par les femmes vouées au culte de Lesbos pour parvenir à l'extase ?

« Gode save the gouine. »

Gode save the gouine.

– Pourquoi la plupart des habitants du Caire souscrivent-ils à l'homosexualité ?

Parce qu'ils se tournent vers les mecs.

– Pourquoi doit-on éviter la compagnie des femmes qui ne se séparent pas de leur chien ?

Parce qu'il faut se méfier des pets de dames aux clebs.

– Le métier de bûcheron est-il conseillé aux optimistes ?

Non, car c'est une vie au stère.

– Pourquoi les chauffeurs de taxis apprécient-ils Jean-Sébastien Bach ?

Parce qu'ils ont le klaxon bien tempéré.

– Doit-on se réjouir lorsqu'on marie sa fille à un homosexuel ?

Non, car la gendre ne fait pas le bonheur.

– Lorsqu'une prostituée revêt des hardes affriolantes qui, à l'instar de la mini-jupe, dévoilent ses appas, que peut-on dire ?

Ce sont des baths'haillons de cons bas.

– Si l'on commet une bourde, doit-on insister et tenter de rattraper cette erreur ?

Non, car faux-pas s'enferre.

– La plupart des coquettes profitent de la mauvaise saison pour se retirer à la campagne et se reposer. En connaissez-vous la raison ?

Oui, en hiver, on met les poules au vert.

– Pourquoi les préliminaires amoureux s'avèrent-ils indispensables pour parvenir à la plénitude du plaisir ?

Parce que c'est roucouler pour mieux sauter.

– Pourquoi une bonne ménagère doit-elle croire en l'astrologie ?

Parce que sa journée s'établit en fonction de sa turne.

– Lorsqu'on emmène les enfants voir la femme à barbe, leur apprend-on par là même la grammaire ?

En effet, puisqu'on leur montre le genre des monstres à tifs.

– Quelle est la devise des nymphomanes ?

A chaque jour suffit sa pine.

– Et précisément, lorsque ces dernières organisent des orgies, doivent-elles proposer du poisson aux invités ?

Non, puisque les cons servent de sardines.

– Que dit le garçon de café en butte au découragement ?

Y'en a marc !

– *Que dit le châtelain lorsqu'il s'aperçoit que son personnel élève un jeune serpent constrictor ?*

C'est le petit boa de nos gens.

– *Pourquoi les jeunes héritières connaissent-elles des ennuis lombaires ?*

Parce qu'elles ont mâles aux dots.

– *Statistiquement, qui de son beau-père ou de son père se révèle le plus cher à entretenir lorsqu'on devient adulte ?*

Son père, puisqu'il n'y a que le premier papa qui coûte.

Lorsqu'on déflore une jeune vierge contre son consentement, doit-on s'attarder ?

Non, car un viol, hymen à tout à condition d'en sortir.

– *Les personnes peu loquaces répandent-elles une bonne odeur ?*

Non : qui ne dit mot, qu'on sent.

– *En cas de choc frontal, deux automobilistes sont-ils plus francs que d'habitude ?*

Oui, car ils se regardent l'essieu dans l'essieu.

– *Pourquoi les cannibales travailleurs mangent-ils deux fois plus que les autres ?*

Parce qu'ils mettent les bouffés doubles.

– *Peut-on convoler en justes noces avec une fiancée portée sur la boisson ?*

Non, autant éviter la promise cuitée.

– *Quels soins prodiguer à son frère, si celui-ci est sujet à des crises d'insolation ?*

Il faut battre son frère quand il est chaud.

– *Est-il exact que l'armée encourage l'homosexualité ?*

Oui, car le soldat doit faire le « gay ».

Soldat faisant le gay.

– Une femme a-t-elle le droit de refuser au dernier moment de commettre l'acte de chair avec un homme au visage disgracieux, de surcroît sujet aux éjaculations précoces ?

Absolument, elle remet son rapport dans le plus bref des laids.

– Lorsqu'une maîtresse de maison garde par-devers elle un certain nombre de gobelets transparents, peut-on dire qu'elle file un mauvais coton ?

Certainement, puisqu'elle veut des verres à soi.

– Ceux qui luttent pour l'aide au tiers monde sont-ils d'incorrigibles bavards ?

Oui, car ils repoussent le maux de la faim.

– Les gens craintifs sont-ils démonstratifs ?

Oui, car on peut dire qu'ils ont l'alarme facile.

– Les jeunes coquettes sont-elles militaristes ?

Ça ne fait pas l'ombre d'un doute puisqu'elles rêvent de poudre et de bals.

– Pour un alpiniste qui a gravi les plus hauts sommets, grimper sur la terrasse d'un immeuble constitue-t-il un exploit ?

Non, car qu'importe le balcon, pourvu qu'on ait l'Everest !

– A l'heure de sa mort, peut-on envisager de publier une autobiographie posthume, même courte ?

Oui, mais il faut tout de même soigner sa plaquette d'enterre.

– Le sexe féminin cause-t-il, ainsi qu'on le chuchote, moult soucis au sexe masculin ?

C'est certain puisqu'on dit : la femme est la gale de l'homme.

– Que peut-on dire d'une coquette dont le maquillage voyant s'aperçoit à cent mètres à la ronde ?

Qu'elle a un fard longue portée.

– Les petits bohémiens qui commettent des rapines sont-ils forcés à le faire par leurs parents ?

Non, ils volent de leur propre zèle.

– Un cordonnier a-t-il le droit de se mêler à une conversation qui ne le regarde pas ?

Non, et on peut même se demander de quoi y semelle.

– Sous quel régime se marient la plupart des gens ?

La communauté réduite aux caquets.

– Pourquoi les femmes qui accèdent à des responsabilités municipales s'avèrent-elles bien insouciantes dans leur vie privée ?

Parce que ce sont des filles maires.

Fille-maire.

– *Pourquoi faut-il déconseiller à ses parents d'aller visiter les pays scandinaves ?*

Parce qu'au Nord, ton père hait ta mère.

– *Pourquoi certaines femmes à lunettes obtiennent-elles tant de succès auprès des hommes ?*

Parce qu'elles sont presbytes.

– *Lorsqu'on vient chercher une nouvelle employée de maison à la gare et que celle-ci a manifestement voyagé dans la locomotive, doit-on aussitôt lui signifier son congé ?*

Aucun doute, parce que : à bonne en tender, salut !

– *Que peut dire celui dont le père assume des fonctions municipales d'importance et dont le frère est kinésithérapeute ?*

Mon frère est masseur, mon père est maire.

– Pourquoi la plupart des surveillants généraux de collège sont-ils fils uniques ?

Parce qu'ils sont censeurs.

– Ces dernières années, on a observé que nombre de surveillants d'école étaient des « beurs » de la seconde génération. Est-ce fondé ?

Oui, ce sont des Maures pions.

– Pour exprimer la satisfaction, la plupart des gens essayent de ressembler à un poisson. Pourriez-vous expliquer ce fait ?

Oui, quand on est content, l'anchois se lit sur tous les visages.

– Pourquoi compare-t-on ceux qui se rendent à la piscine de Vincennes à des animaux ?

Parce qu'ils prennent un bain aux eaux de Vincennes.

– On prétend que celui qui vit sur un nuage possède une force statique telle qu'il est impossible de le remuer. Est-ce possible ?

Oui, puisque l'hagard demeure, mais ne se rend pas.

– Lorsque quelqu'un se met à ne plus jamais écouter les conseils d'autrui, est-ce grave ?

Certainement, puisque cette personne ressent un dégoût de l'avis.

– Pourquoi la plupart des jeunes filles qui habitent au rez-de-chaussée perdent-elles leur virginité dès l'âge de douze ou treize ans ?

Parce que le con sert tôt en rez.

– Pourquoi les péripatéticiennes – dont on connaît l'urbanité – naviguent-elles toujours en eaux troubles ?

Parce qu'elles sont trop au lit pour être eau nette.

– Que dire de celui qui, s'apercevant que son bulletin de loto est gagnant à un chiffre près (le 9), truque son reçu et, ce faisant, lèse les autres de la victoire ?

Qui vole un neuf vole un beauf'.

– Pourquoi une jeune fille ne doit-elle jamais s'offrir charnellement à celui qui est amoureux d'elle ?

Parce qu'il faut con parer l'épris.

– Pourquoi l'appareil génital masculin connaît-il un surcroît de vigueur quand les bourgeons éclosent ?

Parce que tout le monde a entendu parler du bout qu'est de printemps.

– La plupart des belles-filles peu gâtées par la nature ont – prétend-on – des problèmes d'aisselles. En connaissez-vous la raison ?

Oui, elles répandent une odeur de bru laid.

– *Justement, que dire des personnes pas très bien mises de leurs personnes qui passent leurs nuits dans les dancings ?*

Ce sont des laids qu'ont dansé.

– *Pourquoi les livreurs de lait professent-ils à l'égard du cosmos une fascination jamais démentie ?*

Parce que ce sont des gars lactiques.

– *Doit-on faire semblant de croire aux élucubrations d'un ami, si celui-ci a passé la soixantaine ?*

Oui, car il faut avaler les salades du pote âgé.

– *Comment nomme-t-on une personne aimable qui se tient près d'un bassin municipal ?*

L'affable de la fontaine.

– *Lors de la cueillette, que dit-on des ouvriers agricoles levés dès l'aurore ?*

Ce sont des gars tôt aux pommes.

Doit-on succomber aux charmes d'une femme qui a connu la ménopause ?

Non, car il ne faut pas se fier aux appâts rances.

– *Qu'est-ce qui nous permet d'avancer que ceux qui s'adonnent aux chansons paillardes sont, en fait, peu gâtés par la nature ?*

Ceci : ce sont des plaisanteries de sous-dards.

– *Pourquoi les meilleurs éleveurs d'ânes sont-ils tous d'anciens mathématiciens ?*

Parce qu'ils élèvent leurs forts mules.

– *Pourquoi les femmes qui affectent d'être dubitatives, quelles que soient les circonstances, utilisent-elles plus que d'autres des produits contre les mauvaises odeurs ?*

Parce que ce sont de fausses sceptiques.

Devinettes et jeux

L'aspect ludique de l'existence n'est pas à négliger (au mètre).

Voici un pot-pourri de questions qui déclencheront le rire de façon mathématique, grâce à une technique éprouvée.

Devenir l'idole des dîners à peu de frais, voilà notre credo (rémi).

– *Quelle différence pouvez-vous établir entre un cendrier et une théière ?*

Le cendrier sert pour les cendres, la théière pour mon thé.

– Lorsqu'un vendeur de glaces, crêpes, etc., originaire d'Ajaccio, se propose de vous vendre du matériel de glisse, que faut-il lui répondre ?

A quoi rime ce ski, Corse à gaufres ?

– Que dit un paysan chinois ignorant notre langue – mélangeant les genres masculin et féminin – après avoir aperçu un envoyé du pape bénissant la production agricole du village ?

La nonce fêta ma riz.

– Quelles furent les dernières paroles de Oliver Hardy adressées à son ami Laurel, après que le bar où ils prenaient un verre ait explosé – alors que la femme du sus-dit pouvait espérer s'échapper par les combles en compagnie de Laurel, indemne ?

« Stan, hisse-la, ce laid zinc qui... »

– Que dit l'avocat général au prévenu qui se fait passer pour paralytique dans le but d'échapper à la justice, mais qui a été vu au bal sur la piste ?

« Il faut s'en remettre à la preuve : y' danse. »

– Dans un cirque, il y a un avaleur de sabre, des ânes pour amuser les enfants... Que constater lorsque le premier nommé n'a cure de savoir si les seconds sont tous réunis lorsqu'il entame son numéro ?

L'avaleur n'attend pas le nombre des ânées.

– Admettons que vous fassiez la course avec Moshe Dayan et Jean-Marie Le Pen. Si vous gagnez, peut-on vous reprocher d'exagérer ?

Oui, car vous avez dépassé les borgnes.

– Que dit le photographe à la vache qu'il est en train de photographier ?

Ne bouzons plus !

– Que dit un Américain à son épouse tandis qu'il aperçoit le chef des catholiques à la télévision, sachant que sa femme ne peut s'empêcher d'aboyer à la vue du saint dignitaire ?

« Le pape y est, jappe, honey ! »

– Lorsqu'un prêtre tibétain s'adresse à sa progéniture, doit-on tendre l'oreille ?

Oui, car il faut écouter ce que dit monsieur bonze au fils.

– Lorsqu'on découvre un dignitaire arabe attaché et mourant de faim dans le désert, doit-on lui porter secours ?

Non, car il ne faut pas délivrer de cheik sans provisions.

– *Comment appelle-t-on un zombie qui fait rire ?*

Un défunt humoristique.

– *Qu'est-ce qu'un écolier qui ne cesse de mâcher des chewing-gums de mauvaise qualité ?*

Un potache aux laids gums.

– *Que peut-on dire d'une femme qui délaisse son petit ami italien pour un homme sans grand intérêt ?*

Qu'elle préfère le cave à l'amant sarde.

Index

Grâce à notre système de classification, vous aurez réponse à tout, en toutes circonstances. Finis les prétentiards qui faisaient rire à vos dépens dans les dîners ! Sur n'importe quel sujet de l'activité humaine, vous clouerez le bec aux plus aguerris et étonnerez les dames par votre culture.

Santé

Cuisine

Monde du travail

Show Business

Culture

Géographie

Histoire

Achevé d'imprimer le 3 mars 1989
sur les presses des Imprimeries Delmas
à Artigues-près-Bordeaux

Dépôt légal : mars 1989
N° d'impression : 34473